LE BLUES DE
BUDDY BOLDEN

Michael Ondaatje

LE BLUES DE
BUDDY BOLDEN

Traduit de l'anglais par
Robert Paquin

Boréal

Données de catalogage avant publication (Canada)

Ondaatje, Michael, 1943-

[Coming through slaughter. Français]

Le blues de Buddy Bolden

Traduction de: Coming through slaughter.

ISBN: 2-89052-199-0

1. Bolden, Buddy, ca 1868-1931 — Romans. I. Titre.
II. Titre: Coming through slaughter. Français.

PS8529.N283C6514 1987   C813'.54   C87-096173-X
PS9529.N283C6514 1987
PR9199.3.054.C6514 1987

La traduction de cet ouvrage a été possible grâce à une subvention
du Conseil des Arts du Canada.

Photo de la couverture: Gilles Savoie

Diffusion pour le Québec: Dimédia, 539, boul. Lebeau, Saint-Laurent
(Québec) H4N 1S2. *Pour la France*: Distique, 17, rue Hoche, 92240
Malakoff.

L'édition originale en langue anglaise a été publiée sous
le titre de *Coming through slaughter*, par W.W. Norton & Co., New York
et Anansi Press, Toronto. © 1976 Michael Ondaatje

© Les Éditions du Boréal Express, 5450, ch. de la Côte-des-Neiges,
Bureau 212, Montréal H3T 1Y6

Dépôt légal: 3e trimestre 1987. Bibliothèque nationale du Québec

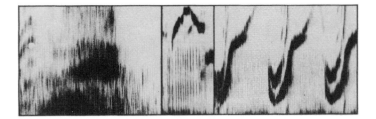

Trois sonagrammes — trois sons différents produits par un dauphin et enregistrés à l'aide d'un appareil dont la sensibilité est plus grande que celle de l'oreille humaine. Le sonagramme de gauche reproduit un « couac ». Les couacs sont des sons de différentes fréquences ou hauteurs, vocalisées simultanément. Ils servent à exprimer l'émotion. Le sonagramme de droite est un sifflement. Notez la basse fréquence du sifflement, c'est un son « pur » et non un couac. Chaque dauphin produit un sifflement particulier, une signature personnelle qui l'identifie et le situe. Le sonagramme du centre représente deux signaux émis ensemble par un même dauphin. Les lignes verticales sont des clics de repérage — des sons brefs, à haute fréquence — alors que les barres sombres correspondent à des sifflements de signature. On ignore comment les dauphins arrivent à produire sifflements et clics de repérage simultanément.

1

Repères géographiques.

Aujourd'hui, promenade en voiture pour voir les magasins du quartier. Les enseignes des propriétaires cachées sous des marques de commerce. Tassin, l'épicerie en face de laquelle il vécut un certain temps, avec, tout autour, des affiches mouchetées par le soleil: BUVEZ COCA-COLA EN BOUTEILLE, BARG ou TAVERNE LAURA LEE, TOM MOORE, YELLOWSTONE, JAX, COCA-COLA, COCA-COLA. Affiches aux couleurs primaires, jaune et rouge, délavées par le temps sur les murs lambrissés de planches horizontales. Ce quartier, avec ses demeures et ses magasins, se trouve à peu près à un mille des rues qui sont devenues des lieux sacrés du jazz. Il n'y a pas de chansons qui célèbrent les rues Gravier, Phillips, First, ni l'église baptiste des Missionnaires du mont Ararat voisine de chez sa mère. Il ne reste que les noms des rues, aux lettres écrites verticalement sur les poteaux de téléphone, ou gravées dans le trottoir sous les pas. GRAVIER: nom à consonance étrangère, peut-être un peu trop chic pour ces maisons de bois presque décrépites, avec des porches aux marches défoncées où personne ne vient plus s'asseoir. Un peu plus loin, on trouve la rue Rampart, et un peu plus loin encore la rue Basin, et une rue plus haut la rue Franklin.

Ces lieux n'appartiennent pas à l'histoire officielle, bien que nous parviennent encore des rumeurs concernant le « Marais » ou « l'Allée parfumée », ces deux quartiers renommés pour la centaine de prostituées noires qu'on y trouvait, toutes alignées sur la même banquette, septuagénaires et adolescentes à peine pubères. Il y avait là une putain célèbre qui s'appelait Bricktop Jackson et qui avait toujours sur elle un poignard de quinze pouces de long. Son amant, un certain John Miller, avait été amputé du bras gauche, qu'il avait remplacé par une chaîne avec un boulet de fer au bout. Bricktop l'assassina le 7 décembre 1861, à cause de « ses habitudes bestiales et de ses manières féroces ». Il y avait aussi « Duffy-une-jambe » (Mary Rich de son vrai nom) que son amant poignarda un jour, avant de lui défoncer le crâne avec sa propre jambe de bois. « Les joueurs s'installaient à table avec leur cocaïne. »

Ici l'histoire progresse à pas de tortue. C'est ailleurs en ville, dans les bordels de Storyville, qu'on gagnait de l'argent et qu'on en perdait — des putains et des musiciens nègres recrutés dans les faubourgs, alors qu'on refusait les clients noirs. En 1860, le prix d'une adolescente vierge était de 800$ et le docteur Miles (qui allait plus tard inventer l'Alka Seltzer) offrait des remèdes contre la chaude-pisse. Les femmes s'ornaient de roses et se mettaient du parfum français, tandis que les putains vendaient de la « neige en poudre » et de l'huile « Cuisse lisse ». L'argent coulait à flots et avait tendance à disparaître rapidement. À la fin du XIXe siècle, il n'y avait pas moins de deux mille prostituées dans ce quartier. Il y avait au bas mot soixante-dix joueurs professionnels, et une trentaine de pianistes empochaient chacun plusieurs milliers de dollars en pourboires hebdomadaires. La prostitution et ses dérivés rapportaient un quart de million de dollars par semaine.

Tom Anderson, qu'on surnommait « le roi du district », vivait entre les rues Rampart et Franklin. Chaque année, il publiait un Guide bleu où étaient inscrites toutes les putains de La Nouvelle-Orléans. Dans ce guide de l'amateur, on trouvait d'abord le nom des blanches, puis le nom des noires, par ordre alphabétique, de Martha Alice, au 1200, rue Customhouse, à Louisa Walter, au 210 nord, rue Basin. Les mulâtres octoronnes venaient ensuite. Le Guide bleu et d'autres guides semblables donnaient toutes les informations nécessaires. Même celui qui arrivait bourré d'argent dans ces maisons de rapport, en sortait toujours à sec. Si un client était cousu d'or, on lui faisait payer des extras. Il fallait payer pour voir la « danse de l'huître » par exemple — une femme nue qui dansait sur une petite scène, accompagnée au piano. La meilleure danseuse de l'huître s'appelait Olivia. Elle déposait une huître sur son front, s'inclinait vers l'arrière et la faisait glisser sur tout son corps en se balançant, sans jamais la faire tomber; l'huître lui sillonnait le corps, en descendant jusqu'au pied. Elle la lançait alors en l'air, la rattrapait avec le front et recommençait. Ou encore, au 355, rue Customhouse (qui serait plus tard appelée Iberville — la rue où il devint fou), on pouvait tenter de relever le « Défi des 60 secondes » de French Emma. Quiconque arrivait à contenir son orgasme une minute entière après pénétration était dispensé de payer ses deux dollars. Emma en laissait gagner quelques-uns de temps à autre, mais en privé elle soutenait qu'il n'y avait pas un homme capable de lui résister. Quelle que fut donc la somme qu'on avait en arrivant, on repartait toujours à sec. Grace Hayes avait même dressé un raton laveur à vider les poches de ses clients.

Anderson était le protecteur de Bolden, si l'on peut dire. Il lui donnait de l'argent pour sa famille et, tous les jours, il lui envoyait porter par messager deux bouteilles de whisky. À gauche de la rue du Canal, il y avait Tony le Métèque, qui, à l'apogée de la popularité de Bolden, lui faisait aussi envoyer du Raleigh Rye et du vin. C'est également à gauche de la rue du Canal que se trouvent les diverses demeures où habita Bolden; elles sont encore debout aujourd'hui, loin de l'histoire officielle, ces tristes maisons délavées à un étage. Les rues Phillips, First et Gravier, l'épicerie Tassin, les tavernes ouvertes toute la journée, bien que les portes soient hermétiquement closes pour se protéger contre la chaleur et la lumière du soleil. Il faut faire le tour en voiture, se promener de long en large et, à l'angle des rues First et Liberty, on trouve une maison en coin avec un toit en porte-à-faux soutenu par deux enseignes de coiffeur sur le trottoir de bois. C'est le salon de rasage N. Joseph; c'est là que Buddy Bolden travaillait.

*

Il dépose la serviette fumante sur un visage, ne laissant des
ouvertures que pour la bouche et le nez. Bolden s'éloigne
et va parler à quelqu'un d'autre. Une minute de chaude
méditation pour le client. Après l'école, les enfants viennent regarder les hommes qui se font raser. Ils applaudis-
sent et sifflent après chaque rasage. Ils essaient de deviner
quel visage se trouve sous le savon.

★

Le salon de rasage N. Joseph. Une grande pièce aux murs tapissés avec un restant de papier peint provenant de la salle acajou du bordel de Lula White. Deux lavabos vis-à-vis des fauteuils et un assortiment de chaises et de sièges dépareillés alignés le long du mur à l'usage des clients, bien qu'occupés plus souvent qu'autrement par de simples visiteurs venus bavarder et boire un coup. Quand l'alcool venait à manquer, ils s'arrêtaient de parler, tendus, et buvaient les bouteilles de Coca-Cola du casier en bois jusqu'à l'arrivée du prochain messager envoyé par Anderson ou Tony le Métèque. La nouvelle bouteille faisait alors le tour de la pièce, sans oublier le client à moitié rasé et Bolden qui travaillait; après quelques tournées, elle était bientôt vidée jusqu'à la dernière goutte; Bolden s'ouvrait le gosier et buvait à grandes lampées, de sorte qu'il était parfois ivre dès midi et que ses coupes devenaient plus flamboyantes. Quand ses amis intimes avaient besoin de se faire couper les cheveux ou de se faire raser, ils venaient tôt dans l'avant-midi.

L'après-midi, il arrivait parfois qu'un client égaré vienne prendre place dans le fauteuil; il se faisait alors savonner par quelqu'un de plus sobre que Bolden. Mais celui-ci reprenait bientôt sa place en protestant et répliquait à ses accusateurs qu'il avait des nerfs d'acier et qu'il pouvait encore couper des cheveux et s'occuper de ses clients. Fredonnant à voix haute, il se penchait sur sa victime en sueur et coupait tant qu'il pouvait, offrant des visions de styles inédits à cet homme à la tête renversée. Il lui arriva de persuader certains hommes de se faire raser une moustache qu'ils arboraient depuis dix ans, tout en les régalant des détails les plus scabreux d'un récent scandale, au point de leur procurer une érection au milieu de leur appréhension. À mesure que l'après-midi progressait, il se lançait dans de longues histoires de séduction qui se terminaient ordinairement par le récit du fameux incident qu'avait vécu Mlle Jessie Orloff dans un hôtel au cours de ses dernières vacances au Canada. Les amis venaient donc tôt, pour éviter les dangereux coups de rasoir de l'après-midi. De toute façon, à 16 heures il fermait boutique et allait se coucher.

Financièrement parlant, le drame pour Bolden, c'était que le sommeil le dessoûlait complètement; à son réveil, il avait l'esprit aussi clair qu'une rue déserte et il se remettait à boire tranquillement, pas autant que le matin cependant, puisqu'il jouait dans la soirée. Il dormait de 16 à 20 heures. Sa journée commençait à 7 heures; il accompagnait ses enfants à l'école — une promenade d'un mille à pied; pour leur petit déjeuner, il leur achetait des fruits auprès des marchands sur le trottoir. Une demi-heure de marche et trente autres minutes assis sur la berge à manger leur énorme repas de fruits. Il leur disait tout ce qu'il lui passait par la tête, tout ce qu'il avait appris, tout ce qu'il savait; il les traitait en adultes, il leur racontait des blagues et des histoires farfelues où ils apprirent bientôt à distinguer le vrai du faux. Il se consacrait entièrement à eux durant cette promenade, qu'ils faisaient tous trois en marchant d'un bon pas le long des rues désertes fraîchement lavées, un enfant de chaque côté, sa petite main frêle et fraîche agrippée à l'un de ses doigts. En fin de compte, les petits en apprirent plus long qu'à l'école sur comment se débrouiller dans la rue; et lui, en retour, apprenait d'eux les nouvelles chansons à la mode. À 8 heures ils arrivaient à l'école. Il revenait alors en autobus jusqu'à la rue du Canal, puis marchait en direction de la rue First, saluant tous ceux qu'il rencontrait en se rendant au salon de rasage.

Il ne dormait pas assez et buvait trop, dit-on plus tard pour expliquer sa dépression nerveuse, en ajoutant qu'il avait gaspillé son talent. Pourtant sa vie avait à cette époque un bel équilibre bien précis, où chaque heure était soigneusement remplie. Barbier, éditeur du *Criquet*, cornettiste, bon mari et bon père de famille, tout en ayant une réputation de coureur de jupons invétéré. À l'ouverture du salon, il n'avait généralement pas de client durant la première heure, à moins que ce ne soit l'une de ses « mouches », des informateurs qui lui procuraient des nouvelles pour *Le Criquet*. Toute information qui lui parvenait était publiée sans révision dans son canard. Après avoir coupé des cheveux jusqu'à 16 heures, il retournait chez lui à pied et dormait avec Nora jusqu'à 20 heures; ils s'aimaient au réveil. Après le dîner, il se rendait à ses engagements, au Masonic Hall ou au Globe ou à une autre salle de concert. Il montait directement sur les planches.

Il était le meilleur jazzman de son époque, c'était lui qui jouait le plus fort et c'était lui qu'on aimait le mieux. Pourtant on aurait dit qu'il n'avait pas le cerveau d'un professionnel: il lançait et soutenait des notes immenses sans se soucier du danger de se fendre une lèvre; il pouvait attaquer la première note avec une force qui faisait mal aux oreilles. Il était obsédé par la magie de l'air, par ses odeurs qu'il neutralisait en les faisant circuler dans ses poumons, avant de les recracher dans la bonne clé. Il avait une façon bien à lui de se mettre de l'air plein la joue pour ensuite le transformer en notes interminables, comme s'il voulait en former un nuage dans le ciel. Il pouvait voir l'air et, à sa couleur, il pouvait dire où l'air était le plus frais dans une pièce.

Il arrivait ainsi, en amateur et comme par accident, avec ses musiciens sur la scène du Masonic Hall et explosait en jazz, franchissant tous les obstacles, interrompant parfois sa course pour s'adresser à la foule. Il encourageait les musiciens à jouer plus fort, pour que la musique s'entende de la rue; il disait: « Vas-y, Cornish, passe-toi la main par la fenêtre. » Tard dans la nuit, jusqu'aux heures bleues du matin, les notes s'amplifiaient et s'enflammaient à fleur de peau, chacune aussitôt oubliée parce qu'elle était avalée par la suivante; Bolden, Lewis, Cornish et Mumford projetaient et lançaient l'une à la suite de l'autre des notes qu'on pouvait voir se battre comme des animaux dans la salle.

Il voulait tout savoir sur Nora Bass, et sa curiosité n'avait d'égale que sa foi en elle; tard dans la nuit, il l'interrogeait sur son passé. Son corps, un dédale d'émotions et de mécanismes où il s'égarait. Le moindre cheveu qu'elle perdait en prenant son bain, la moindre cellule morte qu'elle enlevait en s'essuyant avec une serviette. La façon qu'elle avait de perdre la tête en humant le parfum d'une tasse de café. Tous ces détails le désorientaient, il n'arrivait pas à la saisir. Il s'abritait sous la force de Nora.

Bolden était incapable de mettre les choses à leur place. Ce qui l'émerveillait chez Nora, par exemple, c'était qu'elle croyait au marchand de sable lorsqu'elle mettait les enfants au lit, alors que les enfants, eux, n'y croyaient pas.

Vite sous les couvertures, le marchand de sable est au bout de la rue.

Où ça, où ça, montre-le nous.

Il s'est arrêté pour prendre un verre. Les enfants grommelaient en silence, mais ils se couchaient quand même. Elle avait été putain pendant trois ans avant d'épouser Bolden, mais elle avait réussi à préserver un certain cérémonial et certaines règles de conduite.

Mais son esprit à lui ne savait pas comment réagir aux manchettes de dernière heure. Il se contentait de sauter au cœur des changements. Il en étudiait les multiples facettes et, en fin de compte, il était presque complètement gouverné par la crainte de voir ses certitudes confirmées; il se méfiait de tous sauf de Nora, qu'il sentait dans sa moelle;

19

pourtant il y avait en elle des évidences auxquelles il s'attaquait sans relâche, avec une haine cruelle. La certitude du probable. Il lui arrivait de casser des chaises ou de briser des fenêtres et des portes vitrées dans la fureur que lui inspiraient les réponses probables de Nora.

Un jour, ils étaient assis à la table de cuisine l'un en face de l'autre. À sa droite, donc à la gauche de Nora, il y avait une fenêtre. Furieux pour une raison ou une autre, il lança un grand coup de son bras droit. À mi-chemin, alors que sa main fendait l'air à toute vitesse, il se rendit compte que c'était une fenêtre qu'il allait frapper et freina. De la paume ouverte il toucha la vitre, une fraction de seconde, et la retira aussitôt. La vitre éclata en étoile et tomba lentement en s'effritant deux étages plus bas. Sa main miraculeusement intacte avait agi exactement comme un fouet, violant la cible. En la retirant, il avait laissé derrière elle le contour d'une étoile. Nora avait été ravie de cet exploit. Lui, était resté surpris, à s'examiner les doigts.

La chanson de Nora

Il traîne en ville. Il traîne en ville.
Il traîne en ville. Il traîne
en ville. Il traîne en
ville en ville il traîne en ville.
Et puis après après après
il traîne en ville

et finalement

il se traîne à la maison.

*

Dude Botley

Le lundi soir à Lincoln Park, c'était quelque chose à voir, surtout quand les maquerelles et les souteneurs amenaient leurs écuries de femmes entendre Bolden jouer. Chaque maquerelle avait des filles d'une couleur différente. Ann Jackson offrait des mulâtres, Maud Wilson des filles brun foncé, et ainsi de suite. Chaque écurie avait sa couleur. Comme un bouquet.

Bolden jouait presque toujours en si bémol.

En arrivant chez elle, Nora Bass trouva un homme à sa porte. Impeccable. Il se leva à son approche, sans la toucher.

Salut Webb, entre.
Merci. Buddy doit être sorti.
Elle éclata de rire. Buddy! Puis elle le regarda d'un air railleur. Et elle secoua la tête.
Oui, tu fais mieux d'entrer, Webb.

L'alcool lui brûle le gosier, elle lui annonce que Buddy est parti, disparu, perdu, je ne sais pas, Webb, mais il est parti.
Depuis quand?
Cinq ou six mois.
Nora écarte les rideaux, la lumière tombe sur Webb, sur le verre d'alcool qui, en face de lui, entre eux, le met à l'abri de cette histoire; une autre rasade.

Bon dieu, pourquoi ne m'en as-tu pas parlé avant.
Je ne te connais pas, Webb. C'est Buddy qui te connaît; pourquoi ne t'a-t-il rien dit, *lui*.
Tu aurais dû me le dire.
Tu es un flic, Webb.
Il n'est pas en sécurité seul, il est perdu, il n'a rien — ni *Le Criquet*, ni les musiciens, ni les enfants.
Il n'a rien dit.
Il se lève et s'approche d'elle.
Avec qui était-il.
Je ne sais pas.
Dis-le moi.

23

Il la coince près de la fenêtre et se penche sur elle, très près, comme un amant.

Tu trembles, Webb.

Il ne survivra pas tout seul, Nora, il va s'effondrer. Il n'est pas en sécurité quand il est seul.

Qu'est-ce que tu as à trembler?

Il a besoin de toi, Nora. Avec qui était-il la dernière fois?

Crawley. Un autre cornettiste. Il jouait avec lui à Shell Beach, un peu au nord d'ici. Il n'est jamais revenu.

Comme ça, tout simplement?

Comme ça, tout simplement.

Je pourrais le retrouver. Parle-moi de Crawley.

Elle le prend par la manche et lui repousse le bras, puis elle va vers la porte, elle l'ouvre et s'appuie sur le chambranle. Elle est un masque, avec sa main sur la poignée de porte; c'est juste s'il comprend ce qu'elle est en train de faire, puis, fâché de la froideur de Nora, il se dirige vers la porte.

Veux-tu que je le retrouve?

Elle le regarde dans les yeux.

Je ne retiendrai pas tes services, Webb.

Bon dieu, je ne veux pas de ton sale argent!

Je ne veux pas de ta sale pitié non plus, Webb. Si tu veux essayer de le retrouver, alors fais-le pour toi-même, pas pour moi.

C'est mon ami.

Je le sais, Webb.

Il a beaucoup de talent.

Sans dire un mot, elle lève la main et, avec le geste d'un montreur forain fatigué, elle la promène autour du petit salon sombre avec son vieux papier peint et ses quelques chaises.

Presque tout notre argent allait dans sa gorge ou était gaspillé.
Tu n'as jamais retrouvé ta mère, non plus?
Quoi?... Non.

Un rire triste sur son visage au moment où Webb passe devant elle. Webb franchit le seuil de la porte à reculons, les mains dans les poches.

Es-tu avec quelqu'un maintenant?
Long silence.
Non.
Il va revenir, Nora. Quand il t'a épousée, avant que vous ne vous installiez tous les deux dans mon cabanon au lac Pontchartrain, il m'a téléphoné et nous avons parlé plus d'une heure; il a besoin de toi, Nora, ne t'en fais pas, il reviendra bientôt.

Nora referme la porte, la laissant entrebâillée pour y mettre son visage. Webb esquisse un sourire d'encouragement et descend lentement à reculons les quatre marches jusqu'au trottoir. Il se rappelait du nombre de marches. Il a tort. Bolden ne reviendra pas de sitôt, pas avant deux ans. La porte de Nora se referme sur lui et il se retourne. Printemps 1906.

Il descendit jusqu'à la rue Franklin, où il acheta des bananes. Affamé après avoir vu Nora. Webb descendit de l'autobus dès qu'il vit la première épicerie et acheta six bananes, puis une livre de nectarines. Il les mit dans la grande poche de son imperméable et se rendit en ville à pied, en suivant le trajet de l'autobus qui allait vers Lincoln Park. Il était encore à peu près 8 heures du matin. Il mangeait en regardant les gens aller dans les deux sens. Ceux qui le voyaient pensaient probablement qu'il n'avait rien à faire. En fait, il cherchait inconsciemment à se placer dans un état d'esprit à la fois alerte et détaché, dans l'espoir de tomber sur les indices laissés par la disparition de Bolden.

Quand il était parti pour Shell Beach, Bolden ne semblait pas savoir qu'il ne reviendrait pas. Webb prenait beaucoup plus au sérieux que ses collègues les coups de tête et les gestes spontanés. Il les trouvait toujours plus dangereux, plus significatifs. Il avait également découvert que Bolden n'avait jamais parlé de son passé. Pour les gens ici, il était un musicien arrivé en ville à l'âge de vingt-deux ans. Webb le connaissait depuis qu'il avait quinze ans. Il pouvait tout aussi bien avoir décidé d'effacer son passé une fois de plus, comme cela, sans s'occuper de rien. Un suicide de paysage. De sorte que le seul indice permettant de retrouver le corps de Bolden se trouvait peut-être dans le cerveau de Webb. Assoupi dans des histoires de jeunesse et maintenant projeté dans l'avenir comme une flèche. Une histoire à suivre qu'ils termineraient quand ils seraient plus vieux. Quel était le roman favori de Bolden? Quel moment de terreur voulait-il recréer, se demandait Webb en attaquant sa troisième banane.

*

Partez pas, personne

L'amour insouciant

Mon amour est parti par le 2:19

Idaho

Joyce 76

Funky Butt

Ôte ta grosse jambe de là

Ragtime du serpent

Danse de l'alligator

Ragtime du poivre

Si t'aimes pas mes patates, retire ta bêche

Toutes les putains aiment ma façon de monter

Fais-moi une paillasse sur ton plancher

Remue-toi si tu veux du gâteau.

Le Criquet parut de 1889 à 1905. Toutes les informations que Bolden pouvait recueillir y étaient publiées. On y trouvait côte à côte des faits divers, de véritables élucubrations et des menteries bien tournées. Ces informations provenaient des clients et des mouches informatrices que Bolden et ses amis connaissaient chez les putains et les policiers. *Le Criquet* analysait les mariages brisés et décortiquait les racontars sur la vie des musiciens de jazz; dans « Les mémoires d'un domestique », on apprenait qu'un certain politicien passait vingt minutes tous les matins à décider quelle chemise il allait porter ce jour-là. Bolden prenait tous les faits bruts et les jetait dans son seau à petite histoire.

Objectivement parlant, *Le Criquet* contenait beaucoup trop d'allusions à la mort. Bolden était terrifié par la variété des morts possibles et il s'acharnait à en dénicher toutes sortes d'exemples, comme pour ériger un mur. Un peu comme un garçon atteint de vertige qui se force à grimper lentement dans un arbre. Il y avait des descriptions d'arbitres tailladés à mort par des coqs de combat, on y parlait de cochons qui arrachaient la main d'un fermier, de la crise cardiaque qu'avait faite la regrettée vieille demoiselle Bandeen âgée de 90 ans lorsqu'en ouvrant un soir la porte à ses chats, elle avait vu entrer l'iguane apprivoisé de quelqu'un d'autre. Il y avait aussi le curieux accident de Kenneth Stone, qui s'était levé dans sa baignoire pour redresser une ampoule et avait été électrocuté; la première réaction de son frère Gordon en le trouvant le lendemain matin avait été de couper le courant, Kenneth

28

était tombé raide mort sur le plancher et s'était brisé le nez. Dès que survenait un grand meurtre, Bolden était sur les lieux pour tracer son propre schéma. Il lui arrivait souvent de rêver que ses enfants mouraient. Et puis il y avait eu la première mort, qui l'avait presque anéanti et que seul son aspect fictif avait rachetée.

Le mariage de Bolden et de Nora Bass avait surpris presque tous ses amis. Webb, qui poursuivait sa carrière de détective à Pontchartrain, avait reçu un long appel téléphonique de Bolden lui annonçant la nouvelle. Webb leur avait alors offert son cabanon, et Bolden et Nora y avaient passé un mois. Après trois semaines, la mère de Nora leur avait rendu visite; elle était arrivée dans son Envictor avec une valise pleine de whisky. Depuis la mort de M. Bass elle avait deux indomptables passions: les dessins du naturaliste Audubon et un vieux python qu'elle avait acheté d'occasion à sa retraite d'un zoo. Depuis la mort de M. Bass, toutes ses filles avaient l'une après l'autre déménagé dans le quartier réservé. En fait, Bolden avait couché avec chacune des sœurs de Nora dans le temps. Maintenant qu'il était marié en bonne et due forme à l'une d'entre elles, le voile du soupçon avait disparu des yeux de la mère et ils avaient de superbes entretiens d'ivrognes tous les deux. Une femme brillante. Elle lui faisait des discours sur le règne animal, qu'il écoutait d'un air morose cherchant à déceler sur son corps certains traits physiques de sa fille. Quand elle se mettait à fouiller dans sa valise pour en sortir les dessins d'Audubon, c'était la phase finale de la soûlerie de la soirée. Articulant avec peine, bafouillant, voilà qu'elle tentait d'interpréter ces satanés oiseaux; *satanés*, disait-elle, parce qu'elle était sûre que John James Audubon était attiré par les créatures psychotiques et névrosées. Elle lui montrait l'illustration de la Gallinule pourprée, qui semblait envisager le suicide ainsi penchée au-dessus de l'eau, avec ses yeux clos. Vous n'en savez rien! Tais-toi, Buddy! Elle lui montrait l'Ibis sacré, un oiseau évidemment paranoïaque qui construit son nid à l'endroit le plus élevé possible avant même les inondations, et la Fauvette azurée, ivre de mûres espagnoles, et son favori — l'Anhinga, ou Dindon d'eau — qui, disait-elle, se tient sur la cime d'un arbre jusqu'à ce qu'il soit effarouché, pour alors se laisser choir comme une roche dans la rivière, où il disparaît laissant à peine une ride à la surface, et s'éloigner à la nage, les yeux et le bec au ras de l'eau; s'il est effarouché davantage, expliquait-elle, il se cache en se submergeant complètement et marche au fond de la rivière; il oublie de respirer et finit par se noyer. C'est ainsi qu'on attrape les dindons d'eau, disait-elle, on les effraie, ils se cachent sous l'eau et on n'a plus qu'à les cueillir avec une nasse quand ils remontent à la surface quelques minutes plus tard, savais-tu cela? Bolden secouait la tête. Vous avez le tour de raconter les histoires, vous, Madame Bass; mais je ne vous crois pas, vous êtes folle, vous êtes soûle, vous le savez — et puis vous êtes folle. Une semaine plus tard, Mme Bass fit une promenade en voiture et ne revint jamais. Après le déjeuner, Buddy et Nora décidèrent d'aller faire un tour à pied. Ils trouvèrent l'Envictor à deux milles de là. Mme Bass était assise au volant, elle avait été étranglée.

Bolden était intrigué. Il ne s'était rien passé depuis presque un mois; Dieu sait, il y avait peut-être un meurtrier notoire dans la région. Il se mit à échafauder des théories et décida finalement de prendre la voiture, de se rendre à Pontchartrain et de tout raconter à Webb. Nora refusa de rester seule, avec un étrangleur qui rôdait dans les environs. Ils installèrent donc Mme Bass sur le siège avant de la voiture et partirent ensemble. La défunte adoptait cependant de plus en plus la rigidité cadavérique et, dans les virages, elle tombait parfois sur les genoux de Bolden comme une statue de grande valeur; Nora vint donc s'asseoir à l'avant et Mme Bass fut transférée sur la banquette arrière. Couverte d'une bâche par diplomatie. Bolden gara la voiture en face du poste de police et demanda à voir Webb. Nora alla prendre une bouchée au restaurant.

Écoute, on a un cadavre dehors.
Quoi!
Oui. La mère de Nora. Étranglée. On l'a amenée.
Les autres flics se retournèrent. Webb enleva ses pieds du bureau et se leva.

Écoute, si vous l'avez tuée, vous auriez dû vous débarrasser du corps, vous auriez dû l'enterrer; n'essaie pas de t'en tirer par un bluff.

Voyons Webb, on l'a pas tuée, je l'aimais la bonne femme; ça a quand même l'air louche, elle a de la galette et c'est nous qui allons hériter, alors de quoi j'aurais l'air si je l'avais enterrée.

C'est juste, et vous ne pouvez pas réclamer l'argent sans le cadavre, alors il *faut* que tu fasses du bluff.

C'est pas nous, espèce de salaud.
O.K. O.K. Je te crois; où est le corps?
Sur la banquette arrière. Sous la bâche.
O.K. Va avec Belddax et emmène-la ici.

Quelques minutes plus tard, Belddax rentra précipitamment. Webb lui demanda où était Bolden.
Il est parti en courant, Monsieur.
Quoi!
La voiture a été volée.

Cette crise s'atténua avec l'enquête. On entreprit des recherches pour retrouver la voiture, ainsi qu'un étrangleur, dans la région de Hill. Après deux semaines, on n'avait encore rien trouvé. Les Bolden, qui auraient été assez à l'aise, ne pouvaient espérer hériter tant qu'on ne retrouverait pas le corps. On plaça des annonces dans *Le Criquet* et dans les journaux de Pontchartrain pour retrouver une Envictor et son contenu. Un an plus tard, Bolden reçut une lettre de Webb.

Buddy,

J'ai résolu le meurtre à défaut de résoudre la disparition. Tous ne sont pas d'accord avec moi, et je n'y aurais pas pensé moi-même n'eût été du journal de la semaine passée. Voir ci-inclus.

Saint-Tropez, France

La célèbre danseuse Isadora Duncan à la carrière flamboyante et controversée est morte hier victime une fois de plus d'une de ces situations tragiques qui semblent l'avoir poursuivie toute sa vie. Alors qu'elle faisait une randonnée avec un ami dans la Bugatti de ce dernier, son écharpe de soie s'est enroulée dans la roue arrière de la voiture et elle est morte étranglée avant que le conducteur ne se rende compte de ce qui se passait. La British Automobile Association a fréquemment prévenu les automobilistes de ce danger. Mademoiselle Duncan était âgée de 49 ans. Pour d'autres détails sur sa vie voir « ÉCHARPE» en page 17.

Tu vois où je veux en venir, n'est-ce pas. Le serpent de la vieille se trouvait près d'elle, à prendre l'air, quand sa queue s'est malencontreusement enroulée dans la roue arrière. Il s'est aussitôt accroché à ce qu'il y avait de plus près, le cou de la vieille, et l'a étranglée. La voiture s'arrête, alors le serpent, qui avait subi une grande tension mais qui n'était pas mort, se déroule et s'échappe. Aucune trace d'arme. Si le serpent avait été un être humain, on aurait parlé d'un homicide involontaire, rien de plus... Tu sais, Bolden, parfois je pense que je suis un génie.

Webb

Il lui arrivait souvent de rêver que ses enfants mouraient.

★

L'autre gamin entre en sanglotant avec la nouvelle: il est mort; il s'élance et bondit sur le garçon qu'il saisit à l'épaule en hurlant QUI ÇA; en entendant la réponse, il va dans la cuisine, comme dans un rêve, ramasse le couteau dentelé à manche de bois et commence à se scier le poignet gauche; puis la main ouverte, déjà engourdie, à travers la porte; et les policiers stupéfaits de le voir ainsi avec sa chemise blanche pleine de sang; il regarde les flics qui viennent d'arriver avec cette nouvelle que tous les soirs il s'imaginait entendre — renversé par une voiture, mon dieu. Depuis les paroles prononcées par le petit garçon, il n'entend plus que ses propres cris; il passe devant le flic et s'affale sur le capot de la fourgonnette de police, sa joue et son bras mouillé sur le métal chaud.

★

Crawley suivait une cure d'amaigrissement, il était pâle. Son jeûne lui avait creusé des rides dans le visage. Il était assis sur sa chaise et buvait de l'eau distillée, à même une grosse bouteille, pendant que Webb, assis au bord du lit, cherchait à obtenir des renseignements. Maintenant 10 heures. Il était arrivé juste avant qu'il ne commence ses exercices.

Accordez-moi une demi-heure. Je serai parti à 10 heures et demie.
Qui c'est que vous êtes, vous?
Je viens de chez Nora. On essaie de retrouver Buddy.

Il offrit une banane à Crawley.

Une banane, bordel, je suis au régime. Juste cette eau spéciale.
Allez-y, prenez-en une, vous avez l'air malade.
Je peux pas. Bon dieu, je voudrais bien. Savez-vous que ça fait une semaine que j'ai pas chié?
Vous avez encore de l'énergie?
Un peu... Cette fois, mon objectif c'est la chiasse ultime.
La chiasse ultime.
Ouais... J'ai déjà réussi ça une fois. Voyez-vous, si on mange pas on finit par arrêter de chier, naturellement. Et puis à peu près deux semaines plus tard on a une chiasse fantastique, ça sort comme une tornade. C'est toute la merde qu'on avait au fond des intestins. Tout ce qui est entassé et qui ne sort jamais, tout ce qui reste toujours derrière.

Ah, oui? Quand avez-vous vu Bolden la dernière fois?
C'est comme si on enlevait un bouchon qu'on a eu
dans le cul toute sa vie. C'est fantastique. Alors on peut
recommencer à manger — c'est une nectarine, ça? Je
prendrais bien une nectarine.

Que faisait-il la dernière fois que vous l'avez vu?

Il prenait le bateau.

Ça ne se peut pas, Bolden détestait les bateaux.

Écoutez, je vous *dis* qu'il prenait le *bateau*.

*

Pendant que Webb parle à Crawley, voici ce que Bolden voit:

La femme est en train de couper des carottes. Chaque carotte est divisée en six ou sept morceaux. Le couteau s'enfonce et frappe la table de bois sur laquelle ils vont manger dans un moment. Il observe la rencontre des doigts et des carottes. Au début, il ne voyait que la couleur des doigts, puis les veinules de la carotte ont retenu son attention. Maintenant, les doigts de la femme se sont séparés de son corps et bougent tout seuls, leur mouvement s'arrête à la manche et au bracelet. Il observe son adresse en s'attendant à ce qu'elle manque son coup d'un moment à l'autre. Si elle pense à ce qu'elle fait, elle va perdre le contrôle. Il sait que la seule façon d'attraper une mouche, par exemple, c'est de bouger la main sans que le cerveau n'intervienne pour lui dire d'aller vite. Le couteau d'argent frôle les carottes et les doigts d'un mouvement calme et rapide, entaillant la chair brune de la table.

LE BLUES DE BUDDY BOLDEN

★

« Tout ce que je peux dire, Webb, c'est que la dernière fois
que je l'ai vu il prenait le bateau. L'automne dernier. Il
n'avait jamais été en bateau avant ça. Pourtant Dieu sait
qu'il a vécu près du fleuve toute sa vie. Mais il n'avait
jamais été sur l'eau. De toute façon, on est allé à Shell
Beach ensemble avec deux autres gars. Nous devions jouer
trois soirs à cet endroit. D'ordinaire, on ne jouait pas
ensemble, mais j'aimais sa façon de jouer et lui la mienne,
et on s'entendait bien. Cet engagement à Shell Beach ne
représentait pas beaucoup d'argent et les musiciens
logeaient chez des particuliers. Bolden devait rester chez
un couple qui s'appelait les Brewitt — un pianiste et sa
femme. Vous avez peut-être entendu parler de lui, Jaelin
Brewitt, il était populaire il y a à peu près cinq ans... »

Spanish Fort, Shell Beach, Pontchartrain,
Milneburg, Algiers, Gretna.
— Faubourgs de La Nouvelle-Orléans.

[Plaisirs de Milenburg!]

C'est là que Bolden s'est perdu. Robin, la femme de
Jaelin, faisait, elle aussi, partie du monde de la musique
qui, à Shell Beach, était assez restreint, bien qu'on y
entendît assez souvent de bons musiciens. En la voyant, ce
fut le coup de foudre. Après la réception, il partit avec les
Brewitt; il fit semblant d'avoir faim pour les empêcher
d'aller se coucher tout de suite. Bolden ne mangeait jamais
beaucoup, mais il leur fit accroire qu'il n'avait pas mangé
depuis deux jours; ils lui tinrent donc compagnie et pen-

dant trois heures il se força à manger, prenant vingt minutes pour manger un œuf pilé dans un bol, un verre à la main. Ils restèrent assis tous les trois jusqu'à ce qu'ils aient chassé leur fatigue, et vers 5 heures du matin ils se levèrent en geignant et allèrent se coucher. Alors Bolden fut sans pitié. Pour la première fois il se servit de son cornet comme d'un joyau. Après que ses hôtes eurent fermé leur porte de chambre, il glissa une embouchure dans son instrument et il sortit par la porte de cuisine qui donnait sur une galerie ouverte. Froid dehors. Il ne portait que son pantalon noir et une chemise blanche sans col. Avec tous les gestes stylisés qu'il connaissait pour exprimer la douceur, tout en sachant que personne ne pouvait le voir, il chercha à produire la musique la plus délicate qui soit. Si douce qu'on aurait dit le rugissement d'une sirène à vingt rues de là. Il joua jusqu'à ce qu'il soit gelé de partout et que la seule partie où il restait de la chaleur et de la vie en lui soit le passage allant de ses poumons à ses lèvres et à son instrument. Il jouait pour eux trois, les deux autres étaient au lit et ne disaient pas un mot.

Le lendemain matin, Crawley était sur la plage lorsqu'il vit Bolden monter à bord du bateau, un yacht de croisière qui dansait sur les vagues parmi les navigateurs du dimanche. Bolden se mit à crier quelque chose à Crawley. Crawley lui répondit. Bolden était à cent pieds du bord avec les Brewitt. Et ils se lançaient des informations musicales de part et d'autre. Crawley se rendait compte qu'il était en train de dire adieu à son ami. Il était en train de dire adieu à son ami.

« C'est tout... Je suis rentré en ville plus tard cet après-midi-là, il ne s'est pas montré aux deux derniers concerts et il ne s'est pas montré au train. Je suis allé chez les Brewitt le lendemain et Robin m'a dit qu'il n'était pas là. Depuis ce jour personne ne l'a vu et personne n'a entendu dire qu'il jouait quelque part ailleurs non plus. Peu de temps après, j'ai appris que les Brewitt avaient déménagé eux aussi et on ne les a pas revus eux non plus. Tout le monde cherchait Bolden, je leur disais que la dernière fois que je l'avais vu il était avec les Brewitt, donc les gens se mettaient à chercher les Brewitt. Nora n'a pas voulu me croire. *Bolden*, qu'elle m'a dit, *sur un bateau!* »

★

Il s'éveilla, il avait la bouche sèche. Il ignorait l'heure. La nuit qu'il venait de passer à boire et à bavarder avec les Brewitt lui avait fait perdre la notion du temps. La lumière du soleil inondait une partie du lit, son bras. Il enfila son pantalon et sortit dans le corridor pour aller dans la cuisine des Brewitt. Robin apparut à l'autre bout. Elle était nue, avec un drap enroulé autour de la taille, qui traînait à ses pieds. Ses longs cheveux noirs sur ses épaules et dans son dos. Dans chaque main elle portait un verre de jus d'orange, un pour elle et un pour Jaelin, elle s'en retournait à leur chambre à coucher. Elle le vit et s'arrêta, embarrassée, ne sachant que faire. Elle regarda tour à tour chacun des verres dans ses mains, puis elle leva les yeux vers lui et hocha la tête en souriant. Il resta immobile, sans se déplacer; en passant près de lui elle lui fit « Bonjour » des lèvres.

Webb a vingt ans et Bolden dix-sept, ils travaillent dans des foires le long de la côte. Pour la première fois, ils sont indépendants financièrement et dépensent tout ce qu'ils ont avec des filles, parfois même avec des femmes. Ils se louent un appartement, font une provision de bière et graduellement leurs personnalités se décalquent l'une sur l'autre. Ils passent une semaine seuls à redécorer le cabanon de Pontchartrain. C'est durant cette période que Webb et Bolden apprennent à se connaître. Plus tard dans leurs rapports avec les femmes, leur amitié deviendra un jeu de reparties pour la galerie, un échange de blagues en compagnie féminine. Ils vivront ensemble pendant deux ans.

Webb, donc, voulait se concentrer sur cette seule semaine. Le problème venait du fait qu'à cette époque, c'était Webb qui jouait le premier rôle; Bolden était le fidèle compagnon, l'ami toujours présent. Quand on parlait d'eux, c'était ordinairement en se demandant ce que Webb pouvait bien trouver chez Bolden. Après le travail, chacun se consacrait à son passe-temps favori: mû par sa curiosité naturelle, Webb se promenait calmement au milieu de sa collection d'aimants; Bolden, lui, passait des heures à faire des exercices; pour se renforcer les lèvres et les poumons, il soufflait violemment dans un cornet muni d'une sourdine. Ainsi Webb avait constamment dans les oreilles ce hurlement assourdi provenant de la pièce d'à côté. Après un certain temps, Bolden arrivait en sueur dans la chambre de Webb avec de la bière, il s'écrasait dans un fauteuil et disait: « Parle-moi des aimants, Webb. » Et

Webb, qui en avait dix de suspendus au plafond avec des bouts de ficelle, se mettait à expliquer la précision de ces forces dans l'air; il prenait un gigantesque aimant et le dirigeait vers les aimants suspendus; les morceaux de métal s'affolaient et se tordaient sur eux-mêmes, ils se contractaient, s'avançaient et pivotaient par saccades comme s'ils avaient reçu une volée de coups. Parfois, sous l'action de la force que Webb détenait à l'autre bout de la pièce, une des ficelles se rompait; alors Webb déposait le gros aimant à ses pieds et attirait imperceptiblement le petit aimant jusqu'à lui, ou alors il lançait l'aimant en l'air au milieu des ficelles, et les petits morceaux de métal suspendus sautaient à l'unisson et l'attrapaient de leur surface lisse comme une troupe d'acrobates. Bolden applaudissait et ils buvaient un coup ensemble.

Ils avaient vécu ainsi pendant deux ans, puis Bolden était allé à La Nouvelle-Orléans et Webb était resté à Pontchartrain. Maintenant Bolden faisait la manchette avec sa musique, et Webb entendait parler de lui. Bolden avait surgi et gobé toute la gloire de Webb. Il ne lui avait laissé que les racines de sa personnalité, les vieilles adresses où ils étaient passés. Un mois après que Bolden eut déménagé, Webb se rendit en ville et, furtivement, le suivit à la trace pendant plusieurs jours. Jusqu'au fameux samedi où il vit son ami sortir nerveusement de la foule d'un air effronté, entrer dans une parade et se mettre à jouer. Il jouait si fort et si bien que Webb n'eut même pas besoin d'attendre la réaction de la foule, il fit demi-tour et s'éloigna, jusqu'à ce qu'il n'entende plus la musique ni le rugissement de la foule venue s'abreuver à cette joie. Sa puissance.

Frank Lewis

C'était une musique qui manquait tellement de modéra-
tion! On avait envie de nettoyer presque toutes les notes
qui passaient, qui défilaient, aurait-on dit, comme un
paysage en voiture, dépassé avant même qu'on puisse s'en
approcher et l'examiner. Sa musique suivait son *caprice*,
son sentiment de puissance... C'est pourquoi il est bon
qu'on ne l'ait jamais entendu jouer sur disque. Il faut
l'avoir entendu jouer dans une salle où le temps qu'il
faisait, par exemple, pouvait influencer les notes qu'il
allait produire, sinon mieux vaut ne *jamais* l'avoir
entendu. Il n'a jamais été enregistré. Il a refusé d'entrer
dans l'histoire, alors que d'autres y accédaient au moyen
de la cire ou de l'électronique, ceux-là même qui diront
plus tard que Bolden leur avait tracé la voie. Il fallait le voir
s'étirer et se retourner brusquement sur les dernières
notes, il fallait voir tressaillir les veines sur son front couvert de sueur. C'était aussi important que de l'entendre.

Il y avait pourtant une certaine discipline dans son
art, c'est tout simplement que nous ne la comprenions pas.
Nous croyions qu'il était sans forme, mais je pense maintenant qu'il était tourmenté par l'ordre, par tout ce qui n'en
faisait pas partie. Il avait déchiré le scénario — voyez-
vous, sa musique se trouvait juste au-dessus de sa vie.
Comme un écho. Il jouait comme s'il était perdu et qu'il
cherchait à tomber accidentellement sur la bonne note.
L'écouter c'était comme de parler à Coleman. On changeait de direction à chaque phrase, parfois au milieu d'une

phrase, chaque interlocuteur se servait de l'autre comme d'un tremplin dans le noir. Ça allait si vite qu'il importait peu de tout finir et de tout clarifier. Il pouvait décrire une même chose de vingt-sept façons différentes. Dans chaque morceau, il y avait de la douleur et de la douceur, tout ensemble.

D'où sortait-il? Il fut trouvé avant qu'on sache d'où il venait. Né à vingt-deux ans. Il est entré un jour dans la parade avec ses souliers blancs et sa chemise rouge. Il ne parlait jamais du passé. Rien que de la route à suivre pendant les dix prochaines minutes.

Bon dieu, j'étais là, à cette première parade. J'étais en train de jouer, ce fut une entrée en scène remarquée, vous savez. Il sort de la foule, se fraie un chemin dans la rue et commence à jouer, trop fort mais avec tant de sincérité et avec une telle puissance qu'on ne pouvait pas le refuser, puis il est retourné dans la foule. Quinze minutes plus tard, à trois cents verges, il sort à nouveau de la foule et saute dans la rue, joue et puis disparaît. Après deux ou trois fois, nous attendions son retour et il est revenu.

Shell Beach, la gare. Il était là au bout de la voie, à regarder Crawley et les autres musiciens monter à bord du train. Ils le cherchaient encore à moitié, espérant le voir surgir et se joindre à eux à la dernière minute. Lui, se tenait près d'un fourgon postal et les regardait. Il se vit monter à bord du train avec eux, imaginant leur feinte colère et leur soulagement. Il se vit retourner chez les Brewitt et leur demander s'il pouvait rester avec eux. Les êtres du silence. Post-musique. Au-delà de l'ambition. En voyant Crawley hisser son énorme poids à bord du train, il se voyait vivre avec les Brewitt pendant des années et des années. Il n'avait pas ses bagages, il n'avait que l'embouchure de son instrument dans sa poche. Il pouvait tout aussi bien prendre le train que retourner chez les Brewitt. Il était figé. Il s'éveilla pour voir le train disparaître comme une veine dans un bras. Il resta caché derrière le fourgon postal. Au secours. Il avait peur de tout le monde. Il ne voulait plus jamais revoir aucune de ses connaissances, plus jamais de sa vie.

LE BLUES DE BUDDY BOLDEN

*

En sortant de la gare il se rendit dans le quartier où se tient la peau à Shell Beach. Il acheta de la bière et écouta du mauvais jazz dans les salles de concert. Il écoutait attentivement et, dans sa tête, jouait toutes les bonnes notes, grimaçant à chaque note que les musiciens manquaient ou évitaient de jouer. Il avait un dollar, un peu moins maintenant. Assez pour sept bières. Chemise rouge, pantalon noir et souliers noirs. Il passa la journée dans les salles de concert, évitant le soleil éclatant de l'après-midi, qu'on apercevait par la porte entrouverte du bar; il observait les musiciens qui se succédaient, sans porter la moindre attention aux racoleuses qui lui caressaient le cou en passant entre les tables. Entouré d'une foule morte. Il restait figé. Puis, quand tout son argent fut dépensé, il descendit sur la grève et dormit. Du moins essaya-t-il de dormir, écoutant la conversation des autres — le meilleur endroit pour faire le trottoir, le temps qu'il faisait à Gretna. Il emmagasinait tout cela et l'enfermait dans sa mémoire. Le matin il volait des fruits et se promenait sans but. Il entrait dans un salon de barbier bourré de monde et restait confortablement assis, mais ne se faisait pas raser et sortait quand venait son tour. Toujours à l'écoute, à l'écoute du flot désordonné des paroles, des histoires inachevées, des blagues mal contées que, sobre comme une araignée, il corrigeait en silence.

Deux jours à ramasser la crasse de tout le monde, la suite des autobus de la ville, son cœur se soulevait, la saleté des rampes d'escalier, la vase humide des toilettes, l'enduit gris des récepteurs de téléphone, la merde des ruelles qui collait à ses souliers quand il s'accroupissait là où d'autres

47

s'étaient accroupis avant lui, des feuilles de thé, des taches laissées par la bière sur les tables, de la sueur de piano, du crachat de trombone, l'odeur de quelqu'un d'autre sur une serviette, l'air de la gare qui lui collait à la peau, le cauchemar d'une roue qui lui écrasait la main; ses jambes épuisées par la marche étaient secouées de soubresauts quand il se couchait. Il recueillait tous ces bruits, qui l'emplissaient comme un poison savoureux, qui lui entraient dans l'oreille comme la langue d'une femme, qui l'emplissaient et le bouchaient, jusqu'à ce qu'il ne puisse plus être pénétré. Un gros roi bien bourré. Le faucon aux serres pleines de saumon, qu'une dernière gourmandise entraîne au fond de l'eau. Les ongles brûlés par la nicotine à force de fumer des mégots, les bas épaissis par la sueur séchée, il se mouchait dans un journal pour évacuer la poussière de la journée. Il demandait un verre d'eau et y versait le ketchup gratuit, pour faire de la soupe. Il se vautrait dans la rue et se pénétrait ainsi de la musique de la ville de Shell Beach.

Puis il se réfugiait dans les bouffées de chaleur à forte odeur de soupe, exhalées par les cuisines souterraines à travers les grilles du trottoir; elles le gardaient dans leur chaleur, alors il passait de l'une à l'autre et y dormait la nuit, enivré par l'odeur des légumes, assis sous la pluie, à l'abri des tempêtes qui s'agitaient, violettes, sur le lac. Au chaud comme dans une serre, sur sa grille, sentant son corps se tordre et se désintégrer sous les vagues de chaleur. Dans sa tête d'individu à l'air louche, il jouait avec l'orchestre idéal.

*

Les demoiselles venaient leur rendre visite dans leur grand appartement peint en brun. Au début, ils n'aimaient pas le même genre de femmes, mais peu à peu leurs goûts en étaient venus à se ressembler, au point que c'en était gênant; tous les deux ils aimaient les grandes brunes, au corps mince, effilé et sinueux, au bassin saillant lorsqu'elles étaient nues. Les liens amoureux passaient parfois de Webb à Bolden ou vice versa.

Webb, de trois ans l'aîné, en cours de formation dans la force policière, et Bolden, l'apprenti barbier, qui mettait en valeur son talent d'auditeur animé. Plus tard, après son déménagement, il continua à écouter les conversations au salon de coiffure N. Joseph. Là aussi, il réagissait avec excès aux histoires que chaque client lui racontait; Buddy se mettait dans sa peau et prodiguait des conseils généralement trop abstraits et inappropriés. Les hommes qui venaient au salon N. Joseph avaient autant besoin de se confier ou de se faire conseiller que de se faire raser, et Bolden se plaisait à leur donner des conseils bizarres rien que pour voir ce qui allait se produire. Il constituait donc un auditoire idéal pour toutes ces chansons et ces rengaines. Mets tout ton argent sur les coqs. Il arrivait parfois qu'un des ces hommes revienne en furie quelques jours plus tard, exigeant de parler à Bolden (n'oublions pas qu'il n'avait que vingt-quatre ans à cette époque); il lui fallait laisser son client au milieu d'une envolée oratoire et aller s'expliquer avec cet homme en colère dans la salle de toilette exiguë du salon N. Joseph. Au lieu d'admettre ses torts, il suggérait aussitôt des variantes. Cinq minutes plus tard, Bolden était à nouveau en train de raser un cou et d'écouter de nouveaux problèmes. Il aimait cela. Son esprit s'identifiait à la rue.

Deux ans plus tard, Webb retourna à La Nouvelle-Orléans en cachette, pour voir comment allait son ami, mais aussi pour résoudre le meurtre d'un homme de Pontchartrain qui avait été assassiné dans cette ville. Émerveillé à distance de l'épanouissement de Bolden, il fit comme la dernière fois et évita soigneusement de le rencontrer. Il élucida le meurtre en deux jours tout en faisant son possible pour ne pas se trouver sur le chemin de Buddy, ce qui était difficile car l'homme était mort alors qu'il était en train d'écouter Bolden jouer. Deux individus se tenaient au bar, séparés par un troisième, un pianiste bien vêtu. Buddy était sur scène. L'individu A tira sur l'individu B, le pianiste qui se tenait entre eux, un dénommé Ferdinand Joseph La Menthe, s'écarta au bon moment et disparut avant même que les cris ne se mettent à fuser. Voyant ce qui s'était passé, Bolden enchaîna avec un morceau plus rapide, pour distraire l'auditoire; il avait presque réussi lorsque la police arriva sur les lieux. Le Ragtime du tigre.

Le dernier soir Webb était allé entendre Bolden. Loin à l'arrière, près de la porte, il resta seul dans son coin à écouter une heure de temps. Bolden plongeait dans ses anecdotes du salon de barbier; la trame de ses airs n'était que scandales, péripéties et changements. La musique était crue et grossière; d'un intérêt immédiat, elle avait vieilli après une demi-heure; on y parlait de corps trouvés dans la rivière, de poignards, de peines d'amour et de coups d'audace. Sur la scène, il s'efforçait de présenter tous les développements possibles de son récit au milieu de l'histoire.

LE BLUES DE BUDDY BOLDEN

★

Parmi les cornettistes qui ont succédé à Bolden, c'est
Freddie Keppard qui se rapproche le plus de lui par son
volume et par son style.

« Lorsque Keppard était en tournée avec le Creole
Band, les spectateurs assis dans les premières rangées se
levaient toujours après le premier morceau et allaient s'installer plus loin à l'arrière. »

*

Il se retrouva sur la pelouse des Brewitt. Elle ouvrit la porte. Pendant un moment, il la regarda sans la voir, il oublia presque de la reconnaître. Il fut saisi d'un tremblement qui lui montait du ventre aux lèvres; il n'arrivait pas à contrôler ses mâchoires; il aurait voulu que ses paroles soient bien claires pour Robin, ou pour Jaelin. Pour quiconque répondrait à la porte. Mais c'est elle qui répondit. Elle s'écartait les cheveux du visage avec la main. Il vit cela, il vit sa main prendre les cheveux et les déplacer. Ses mains à lui se trouvaient dans les poches de son veston. Il aurait voulu brûler son veston tellement il puait. Est-ce que je peux entrer pour brûler mon veston ici? Ce n'était pas ce qu'il voulait dire. Entre, Buddy. Ce n'était pas ce qu'il voulait dire. Tout son corps se mit à trembler. Il regardait un de ses yeux. Mais il n'arrivait pas à fixer son regard tellement il tremblait. Elle voulut s'approcher de lui, il fallait qu'il le dise avant qu'elle ne l'atteigne, avant qu'elle ne le touche, avant qu'elle ne le sente, fallait qu'il le dise. Au secours. Entre, Buddy. Au secours. Entre, Buddy. Au secours. Il tremblait.

2

★

C'était l'époque du salon de coiffure N. Joseph, Webb, avec au mur son vieux miroir où flottaient des taches de rousseur brunes. Sais-tu ce que j'y voyais? Je me voyais moi-même et je voyais la pièce. La plante de Nora qui me venait à l'épaule. Les fauteuils vides, avec leur rouleau en imitation d'argent pour s'appuyer la tête. Et, derrière moi, le papier peint avec ses oiseaux de la Louisiane.

Le salon de coiffure N. Joseph était le seul endroit frais dans le quartier First et Liberty. Personne d'autre à un mille à la ronde ne pouvait se permettre des plantes ou du papier peint. Tout cela parce que les affaires étaient bonnes. Et pour que les affaires soient bonnes, Joseph savait qu'il fallait de la *glace*. De la glace contre la fenêtre pour faire de la buée et suggérer l'exotisme d'un rideau de protection contre la chaleur de la rue. La glace était posée sur une tablette de bois inclinée vers la fenêtre à la hauteur des genoux. Cette glace se transformait sous nos yeux à mesure que la journée avançait. Tous les matins, j'allais chercher des blocs de glace rue Gravier, je les apportais au salon et je les faisais glisser sur le plan incliné. À quatre heures moins quart, ils avaient fondu et s'étaient écoulés dans les seaux placés sous les planches. À quatre heures, j'allais vider cette eau croupie sur les quelques plantes qui poussaient dehors le long de la boutique. Les seuls arbustes de la rue Liberty. Le reste de la journée, je coupais des cheveux.

Et j'en coupais des cheveux. Au-dessus de moi, les minces pales du ventilateur tournent lentement comme de gigantesques couteaux, toute la journée, au-dessus de ma tête. De sorte qu'on ne peut jamais se détendre et s'étirer. Les cheveux coupés tombent sur le plancher et sont balayés par ce vent épais, presque liquide, qui les envoie à l'autre bout de la pièce.

Je me mouche à toutes les heures pour chasser les particules de poils. Tous les matins en me levant je tousse et je crache des poils. Quand je reviens du travail avec Nora, je passe mon temps à cracher des petits brins noirs sur le trottoir. Je trouve des poils partout sur mes vêtements, même dans mes sous-vêtements. Je passe la soirée avec cette odeur de crème à raser jusqu'aux coudes. Ça me colle aux doigts quand je joue. Toutes les couches de savon de la journée forment une pellicule qui me recouvre la peau. Le plus propre en ville. Je regarde un visage et je sais depuis combien de temps il a été rasé. Je vis de la vanité des autres.

Je les vois s'examiner le visage pendant les vingt minutes qu'ils passent assis sous mon regard. Les hommes détestent se voir changer. Ils rient nerveusement. Voilà où se trouve mon pouvoir. Je manipule leur apparence. Ils me font confiance alors que mon rasoir froid est posé sur la veine qui leur passe dessous l'oreille. Ils me font confiance quand je passe devant leurs yeux la paume remplie de savon liquide pour leur faire la barbe. Dans mes rêves, je vois la gorge qui jaillit sur le plancher et sur mon tablier blanc. Des hommes qui titubent, aveugles, jusqu'à la porte et qui sentent, malgré la douleur, la vague de chaleur qui les submerge en passant la porte, quand ils entrent dans le vrai climat de Liberty et First, quand ils laissent derrière eux la glace, le papier peint et le parfum, la conversation agréable et les miroirs, mon esclavage.

Tous ces meurtres perpétrés sur son corps. L'ongle cassé d'un coup sec, la sueur qui lui coulait du cuir chevelu pour aller se fixer en taches de sang brun sur le collet de sa chemise. Tout cela, en plus de l'habitude qu'avait Nora de mordiller le collet de ses chemises, l'avait finalement amené à les acheter sans collet. Il prenait étonnamment peu de soin de ses doigts, malgré son cauchemar de finir par se faire couper les mains aux poignets. Ses ongles rongés étaient indiscernables des callosités de ses doigts. Il ne pouvait presque plus sentir sa femme quand il la touchait. Le suicide des mains. Une si grande variété de meurtres. Tout de suite après la mort de son enfant dans son rêve, c'est à son poignet qu'il s'attaquait.

Il me faudrait une photo.
Je pensais que tu le connaissais.
C'est pour montrer aux gens.
Tout de même — *merde*, est-ce qu'on a le genre à se
faire photographier.
Bolden s'est fait photographier, lui, il me l'a dit.
Peut-être avec ses musiciens.
Il faudrait leur demander. Demande à Cornish.

Cornish n'en avait pas, mais il confirma l'existence d'une
photo, prise par un handicapé que Buddy connaissait et
qui photographiait des putains. Un nommé Bellock ou
quelque chose comme ça.

Bellocq.

Il se rendit au poste et chercha l'adresse de Bellocq
dans les dossiers. Bellocq était connu de la police. Il était
souvent arrêté comme suspect. Chaque fois qu'une putain
se faisait taillader, on l'incarcérait pour l'interroger; quand
avait-il vu la victime la dernière fois? Mais Bellocq ne
disait jamais rien et on finissait toujours par le relâcher.

Bellocq était sorti, Webb entra donc chez lui par
effraction et fouilla l'appartement pour trouver la fameuse
photo. Des centaines de photographies de putains dans les
meubles à tiroirs. Nues, vêtues, avec un chat ou un chien
ou seules. Triste bagage. La seule différence que Webb
pouvait voir entre ces photos et celles des dossiers de la
morgue, c'était que les filles de la morgue, elles, étaient

57

mortes. Mais il n'y avait aucune photo de Bolden. Il s'installa donc dans le seul fauteuil confortable et finit par s'endormir. Buddy, mais qu'est-ce que tu fais là. Tu ne sais pas ce que tu fais, mon vieux. J'espère que Bellocq a la photo. Je ne me souviens même plus très bien de quoi tu as l'air. Je te reconnaîtrais, mais dans mon esprit tu n'es qu'une silhouette et de la musique. Juste tes chemises aux couleurs vives sans collet. Une douleur aiguë.

Une douleur aiguë au cœur. Qui poussait. En ouvrant les yeux cette douleur se fit plus pressante et il se jeta en arrière dans son fauteuil. Bellocq scrutait son visage dans la pénombre. Il devait être autour de 2 heures du matin. Le photographe tenait encore l'étui de son appareil-photo d'une main et de l'autre main le trépied, sur lequel il s'appuyait avec sa poitrine, les trois pointes de fer plantées sur Webb. Attention, voyons. Bellocq poussa plus fort.

Qu'est-ce que vous voulez. J'ai pas d'argent.
Je cherche une photographie.
J'ai rien à vendre.
Vous souvenez-vous de Bolden. Il a disparu. Je suis un ami. J'essaie de le retrouver. Cornish m'a dit que vous aviez déjà pris une photo de l'orchestre.
Laissez-le tranquille. Il n'a rien fait.
Je sais, je vous ai dit que j'étais un ami. Pouvez-vous enlever ce crochet et faire de la lumière. J'aimerais vous parler.

Bellocq fit pivoter le trépied et l'envoya de côté. Mais il ne toucha pas aux lumières et ne s'assit pas, se contentant de s'appuyer sur le trépied comme sur une béquille. Vous avez du front d'entrer ici comme ça. Comme un flic.

Webb voulait faire parler Bellocq. Le photographe se mit à se promener dans la pièce. Webb pouvait à peine distinguer les traits de ce petit bonhomme qui tournait autour de lui. Il avait quelque chose aux jambes, et le trépied lui servait maintenant de canne. Il avait soigneusement rangé son appareil-photo sur une étagère. Il tourna autour de Webb plusieurs fois, attendant qu'il parle, mais l'autre restait silencieux.

Cornish? Il faisait partie de l'orchestre de Bolden?
Oui.
Une photo manquée.
Ça m'est égal. Du moment qu'il est sur la photo.
Je ne voudrais pas qu'elle circule. Il toussait sur son trépied.
Comment en êtes-vous venu à la prendre?
C'est une longue histoire. Il connaissait certaines des filles que je faisais. Il baisait à gauche et à droite et, comme il était célèbre, elles le laissaient faire. Il se servait de certaines d'entre elles comme informatrices pour *Le Criquet*. Il les payait pour ça, mais pas pour les baiser. Il était humain. Il ne vous traitait pas comme une espèce d'handicapé. Nous nous voyions souvent. C'est lui qui avait convaincu les filles de me laisser les photographier la première fois. D'abord, elles ne voulaient pas. Quel était son vrai nom?
Charlie.
Oui. Charlie... J'ai pris une photo, mais c'était une vieille pellicule et elle n'est pas bonne.
Je peux la voir?
J'ai pas de copie.
Faites m'en une, voulez-vous.

Dix minutes plus tard, il était penché au-dessus de l'évier avec Bellocq et regardait le papier s'enfoncer lentement dans le bac d'acide. Comme s'il allait enfin retrouver son ami. Dans cette sombre lumière rouge le petit homme secouait le papier de ses doigts délicats pour que l'impression soit uniforme; en attendant, il nettoyait son équipement avec des gestes méticuleux. Puis ils regardèrent tous deux le rectangle rose et virent les taches noires y apparaître, d'abord lentement, puis plus rapidement. Soudain des lignes verticales se mirent à sortir du papier blanc et se transformèrent bientôt en silhouettes: six hommes tenant solennellement leurs instruments. Les vêtements sombres apparurent en premier, laissant un espace pour les chemises. Ensuite les visages. Frank Lewis tourné un peu vers la gauche. Tous sérieux sauf Bolden qui souriait. Leur ami émergeait sur cette feuille en leur souriant, cet ami qui sur ce mauvais cliché semblait déjà s'être éloigné à demi avec son sourire qui n'en était peut-être pas un et n'était peut-être que l'air digne d'un détraqué.

C'est le mieux que je puisse faire. Gardez la photo.

Bellocq essuya l'acide qu'il avait sur les doigts en se passant la main dans les cheveux. Une vieille habitude. De sa fenêtre il regarda partir cet homme qui s'en allait en agitant la photo pour la faire sécher. Il ne l'avait pas invité à rester plus longtemps. Trop de travail cette nuit. Il retourna à l'évier. Il tira une autre épreuve du groupe et la rangea, puis il en fit une autre, seulement de Bolden cette fois, en l'isolant des autres. Ensuite il laissa tremper le négatif dans le bac d'acide et le regarda s'effacer, puis devenir uniformément gris. Adieu. J'espère qu'il ne te retrouvera pas.

Il sortit la nouvelle pellicule et développa une dizaine de photos qu'il aligna sur le comptoir, appuyées l'une à côté de l'autre à le regarder. Il n'avait pas révélé grand-chose à cet homme à propos de Bolden. Il ne lui avait pas dit qu'il avait des photos de Nora qui dataient d'avant son mariage avec Buddy. Il fouilla dans ses dossiers et trouva une photographie de Nora Bass, cinq ans plus jeune. Il ne l'avait pas revue depuis le jour des noces — en fait ce n'était pas vraiment un mariage, seulement une réception. Buddy, qui avait l'habitude de lui couper les cheveux gratuitement chez Joseph quand il n'y avait personne pour interrompre leur conversation. Parfois tard dans la nuit, lorsqu'il ne jouait pas, Bolden baissait les stores avant d'allumer la lumière de la boutique, pour qu'on ne puisse pas voir à l'intérieur; il lui faisait toujours des remontrances à propos de l'acide dans ses cheveux. À part les flics, l'homme de ce soir était le premier à être entré ici depuis Buddy. Même Nora n'était pas venue. Il la laissa tomber dans l'acide. Plus de questions. La buée se répandit sur le visage grave de la jeune femme.

Les photographies de Bellocq. HYDROCÉPHALE. Quatre-vingt-neuf plaques de verre ont survécu. Regardez les photos. Imaginez cet homme difforme se déplaçant dans la pièce, pivotant gracieusement sur son trépied, prenant par hasard un cliché de la commode où se trouve la photographie du bébé que la putain a donné en adoption, le Christ en plâtre au mur.

Comparez les mains du Christ agrippées aux crampons de métal, à la cicatrice d'appendicite mal recousue sur le corps nu de la femme de trente ans qu'il a photographiée au moment où elle revenait dans la pièce — sans se douter qu'il avait déjà photographié son bébé, sa commode, son crucifix et son tapis. Elle lui offrait maintenant de prendre des poses grotesques pour un dollar de plus et Bellocq inflexible qui disait: « Non, contente-toi de te tenir près du mur, tiens, celui-là, non, garde ta jupe cette fois.» Un instantané pour vite attraper son coup d'œil méprisant, puis l'attente, l'attente pendant de longues minutes jusqu'à ce qu'elle devienne consciente de sa présence en face de lui, consciente de l'appareil-photo et de son statut à elle, jusqu'à ce qu'elle se sente gênée d'avoir les bras et le cou dénudés, jusqu'à ce qu'elle se souvienne, pour la première fois depuis si longtemps, des différents chemins qu'elle s'imaginait pouvoir prendre un jour quand elle était enfant. Et c'est ce moment-là qu'il photographia.

Ce qu'on voit sur les photos de Bellocq, c'est l'esprit de cette femme, qu'elle projette en arrière, au temps où elle osait encore imaginer l'avenir, au temps où elle se voyait faire un jour étalage de son bonheur et de sa richesse au bras d'un beau veston anonyme. Tout cela lui était revenu à la mémoire au moment où elle s'était fait photographier par cet infirme à peine plus grand que le support de son appareil. Ensuite il l'avait payée et avait ramassé ses affaires, elle avait perdu sa grâce. Un personnage contre un mur, c'est tout.

Certaines photos ont été tailladées. Traces de coups de couteau en travers des corps. Le long des côtes. Sur certaines d'entre elles, le corps nu a été carrément décapité en grattant avec les ongles. Ces éraflures s'ajoutent à des cicatrices authentiques, comme la cicatrice d'appendicite mentionnée plus tôt et d'autres non médicales. Elles se reflètent les unes les autres et l'œil se déplace suivant un mouvement de va-et-vient. Les coupures ajoutent un aspect tridimensionnel à chaque œuvre. Physiquement, bien sûr, puisqu'on peut presque voir la profondeur des entailles faites au couteau, mais aussi parce qu'on pense à Bellocq qui avait envie d'entrer dans ces photographies, de laisser sa trace sur ces corps. Quand ce désir le prenait, comme il était trop gentleman pour demander aux filles de poser en train de lui tenir la bitte ou de la lui sucer (il aurait alors utilisé un dispositif de retardement sur son appareil-photo), quand cela lui prenait, donc, il devait se contenter de leur parler d'amour plus tard, avec un couteau. On voit que le soin qu'il mettait à flétrir la beauté qu'il les avait forcées d'assumer était aussi minutieux que ses mains adroites, ces mains qui la nuit avaient développé les négatifs en trempant les feuilles dans les acides prescrits, pour faire apparaître les visages, les seins, les triangles pubiens et les canapés. La création et la destruction étaient issues de la même source, du même désir, de la même chirurgie cérébrale.

Instantané. Demoiselle avec un chien. Demoiselle à demi-nue sur un canapé. Instantané. Demoiselle nue. Demoiselle près d'une commode. Demoiselle à la fenêtre. Instantané. Demoiselle sur un balcon au soleil. Levant le bras pour faire de l'ombre.

Il y avait des choses que Bellocq ne lui avait pas dites. Il s'en était rendu compte. En levant les yeux il vit le photographe à sa fenêtre. Il continua à marcher, la photo humide à la main.

Le lien entre Bellocq et Buddy était étrange. Buddy était un animal social, toujours en train de parler à trois ou quatre personnes à la fois, un cheval de course. Il n'y avait pas de tromperie en lui, mais il entrait et sortait des conversations comme s'il avait erré dans la campagne, il n'écoutait pas attentivement et se contentait de saisir des moments. Tandis que la force de Bellocq résidait dans la lente circonvolution de son esprit. Il était autosuffisant, complet comme une machine dotée du mouvement perpétuel. Comment Buddy avait-il bien pu avoir affaire avec lui?

Le lendemain Webb en savait plus long sur Bellocq. Il travaillait avec d'autres photographes pour une compagnie de construction navale. Chaque photographe travaillait seul. Ils photographiaient des parties de bateaux, comme des coques endommagées et ainsi de suite. Du travail à forfait. Des photographies pour aider les concepteurs de navires. Avec l'argent qu'il gagnait ainsi, Bellocq louait une chambre, mangeait, achetait du matériel et payait des putains pour qu'elles se laissent photographier. Qu'est-ce que Bolden avait bien pu voir là-dedans? Il avait sans doute été obligé d'y aller lentement et avec circonspection. Bellocq semblait être soupçonneux à l'extrême. Or il avait laissé Buddy venir si *près*.

Webb tourna autour de Bellocq pendant plusieurs jours. Bellocq voûté, avec sa bosse de vêtements, penché sur les jambes écartées de son trépied. Même pas penché, disons plutôt en prolongement au-dessus, car il n'avait pas du tout besoin de se pencher, il mesurait à peine cinq pieds. Bellocq avec ses cheveux jusqu'aux épaules, coupés en frange sur le front, pour qu'aucune mèche ne nuise à sa vision. Bellocq qui dormait dans des trains quand il allait de ville en ville photographier des navires, avec ses plaques soigneusement enveloppées et fourrées dans les grandes poches de son habit. Que dire d'un homme qui emmène toujours sa profession avec lui partout où il va, comme une épouse, tout comme Bolden traînait toujours l'embouchure de son cornet, même en exil. C'est ainsi que Bellocq se déplaçait. E.J. Bellocq avec son vieil habit usé, froissé, sauf derrière les genoux.

Dans les compartiments de non-fumeurs, son visage dans la vitre; surimpression, fenêtres des maisons qui au passage lui traversaient la bouche et les yeux. En regardant ce visage fermé, Webb en vint à comprendre la forme de la tête, les vaisseaux sanguins, le tremblement de la lèvre. Toute la mécanique faciale. HYDROCÉPHALE. Il se savait condamné à mourir avant l'âge de quarante ans, à cause de problèmes circulatoires, qui l'empêchaient également de plier les genoux. Pour éviter d'avoir la démarche compassée ou arquée qui caractérise ordinairement les gens qui souffrent de ce genre d'incapacité, il marchait droit, penché vers l'avant. C'est-à-dire qu'il se levait sur la pointe, disons du pied droit, ce qui lui laissait assez d'espace pour passer la jambe gauche directement sous son corps, d'un mouvement de balancier, et de l'envoyer en avant de la jambe droite. Ensuite c'était l'autre pied. Cette démarche le faisait également paraître un peu plus grand. Bellocq ne marchait cependant pas beaucoup. Il ne photographiait jamais de paysages, toujours des portraits. Il arrivait à Webb de découvrir l'esprit des personnes en étudiant leur corps. Ou leur façon de percevoir les choses. Il en était rendu là dans son étude de la circulation et de la démarche de Bellocq.

Au cœur de la chaleur dans la baignoire des Brewitt son corps explosa. Sa cuirasse de crasse tomba, ses nerfs et ses muscles se détendirent. Il s'enfonça la tête sous l'eau et y resta près d'une minute avant de jaillir en aspergeant toute la pièce. Sous la surface, tous les sons lui parvenaient amplifiés, son corps qui glissait sur l'émail, l'eau qui dégouttait, les bruits dans le tuyau. Il remonta et resta allongé sans se laver, laissant la saleté et la sueur fondre d'elles-mêmes à la chaleur. Quand il se leva, il sentit que tout dégoulinait de lui. Il s'enroula une serviette autour du corps et regarda dans le corridor. Comme les Brewitt étaient sortis, il se rendit à sa chambre, s'étendit sur le lit et s'endormit.

Quand Robin entra, il était couché sur le dos, endormi, les draps étaient tombés, la serviette aussi. Elle laissa couler ses cheveux sur son ventre. Bruissement des cheveux sur les boucles noires de l'abdomen; bouche déposant la langue ici et là sur la peau; lentement il s'éveillait à ses caresses, la langue exploratrice, la salive fraîche; il ouvrit les yeux; elle était agenouillée sur le lit. Alors elle approcha son visage de sa bouche, de son épaule.

Reste avec nous.
Est-ce que ça change quelque chose?
Tu ne trouves pas? Tu ne penses pas que Jaelin trouverait ça, lui?
Je ne sentirais pas la différence si j'étais lui.
Je ne peux pas agir ainsi, Buddy. Elle déposa sa bouche dans le creux de son cou.

Ton haleine sur moi, c'est comme une mouche, trois ou quatre mouches à la fois.

Parle-moi de la musique, dis-moi ce que tu veux jouer.

Tu sais, Bellocq avait un chien que je passais des heures à observer. Il ne faisait rien, toute la journée il avait l'air d'être assis à ne rien faire, pourtant il était *affairé*. Je le regardais et je pouvais voir à sa tête qu'il commençait à sentir une démangeaison dans les côtes, alors il se levait et s'installait dans la position idéale pour se gratter, puis il y allait à grands coups, frappant le plancher plus souvent qu'autrement.

Qui était Bellocq.

C'était un photographe. Ses photos... étaient comme des... fenêtres. C'est la première personne que j'aie jamais rencontrée qui ne s'intéressait absolument pas à ma musique. Ça a l'air prétentieux de dire ça, tu ne trouves pas? Ouaip! Ça a l'air un peu prétentieux.

Pourtant c'est vrai. On joue et puis les gens s'accrochent à nous, ils s'accrochent et puis on finit par — on peut pas s'en empêcher — on finit par croire qu'on fait quelque chose d'important. Mais dans le fond, ce qu'on fait, ça revient au même que de voler des poulets ou de clouer des choses au mur. À chaque fois qu'on arrête de jouer, on devient faux. J'en étais arrivé là; avec Bellocq, je ne voulais plus de ça. Ce n'était qu'un jeu. Nous étions des chambres meublées et Bellocq était une fenêtre ouverte sur l'extérieur.

Buddy —

Elle refusa alors d'enlever ses vêtements. Elle s'allongea sur lui et lui donna des baisers en lui parlant doucement. Il sentait sur son corps nu le tissu de ses vêtements, comme si c'était lui qui les portait. Les yeux fermés. Au-dessus de lui, il aurait pu y avoir un ciel au lieu d'un plafond.

Ne t'appuie pas sur ce bras-là. Excuse-moi. Je me le suis déjà cassé.

Tout ce temps-là, elle était consciente de ses doigts dans son dos, qui pressaient sa chair comme les pistons d'un cornet. Elle était certaine qu'il ne s'en rendait pas compte, elle était certaine qu'il ne s'en souviendrait même pas. Cela faisait partie d'une conversation qu'il poursuivait avec lui-même dans son sommeil. Alors même qu'avec sa jupe et son chandail rouges elle était allongée contre son corps. Mais elle avait tort. En fait, il travaillait sa façon de jouer *Cakewalking Babies*.

Fleurs de chicorée, bleues dans les champs comme le ciel.

Elle. De nouveau dans la chambre, cette fois dans sa longue robe brune. Brune et jaune, sans boutons, sans souliers et le déclic de la porte qu'elle referme en s'appuyant contre la poignée, enfermés seul à seul. Ce claquement de la serrure est le dernier mot que nous proférons. Entre nous, il y a l'air de la pièce. Chargé de passé et de fantômes d'amis qui se trouvent dans d'autres pièces. Elle reste collée à la porte. Je suis assis sur le bord du lit en face du miroir. Elle a les mains derrière le dos. Je dois me lever et me déplacer au milieu des corps dans l'air. Jusqu'au premier long baiser dans le tissu de son épaule droite et sur la peau du cou, ma respiration nerveuse dans ses cheveux, presque froids, car elle vient de rentrer. Mes doigts dans sa chevelure comme un peigne, ses cheveux coincés contre les tendons entre mes doigts. Le goût du pollen dans son oreille droite, le souple pourtour de son pavillon humecté de la salive que je lui envoie comme un navire, puis que je suce et que j'avale. Cet organe souple et doux sur le côté de sa tête.

Je me colle sur son ventre. Sa respiration dans ma chemise blanche. Son souffle frais sur mon front en sueur. Je lui lève les bras et les laisse là, vides au-dessus de nous et je me penche et je relève sa robe brune sur son ventre et jusqu'à ses bras. Je recule et je la regarde dans le coin de ma chambre, les mains en l'air, tenant la robe brune en boule au-dessus de sa tête. Elle me tourne le dos et se frotte le visage sur la robe qu'elle se ramène sur la figure. Son grand dos brun. Alors je l'attaque contre le mur, ma bitte matelassée, mes mains en avant de sa cuisse, la tirant sur moi, nous respirons à peine, sa chair folle tordue en coins, je glisse en bougeant et nos mains se rencontrent pour la remettre dedans, vite, *nom de Dieu*, vite, dedans encore. Dedans. Dernières respirations avant la liquéfaction finale du corps, le claquement liquide, et puis lentement lentement et enfin immobiles dans ce coin. Comme si c'était la dernière fois que l'air entrait dans cette pièce vide, vidée maintenant de toutes les autres histoires.

Étendus. Au chaud sous sa robe et ma chemise. Je suis sec et collé à sa cuisse. Unis par la mousse que nous avons produite. Près de la porte, avec la lumière et l'air du corridor qui passent sous la porte. Sens. Elle n'a pas fait un pas de plus dans ma chambre. Chère Robin. Je me souviens du moment où j'ai été secoué d'un tremblement contre toi. Le goût de ta bouche. Nous sommes des animaux de races différentes qui nous rencontrons. Où trouver l'émanation, la taille, la souplesse désirées. Contre cette porte. Enroulés l'un sur l'autre sous la toile brune et blanche. Cherchant à nous rapprocher un peu plus. Un pas au-delà du territoire.

★

Webb avait parlé à Bellocq et n'avait rien découvert. Il avait parlé à Nora, à Crawley, à Cornish, il avait rencontré les enfants — Bernadine et Charlie. Leurs témoignages ressemblaient aux rayons d'une roue sans jante, ils finissaient dans le vide. Buddy avait mené une vie différente avec chacun d'entre eux.

Webb tournait en rond, cherchant à comprendre non pas où se trouvait Buddy mais ce qu'il était en train de faire, capable de le trouver certes mais prenant son temps; il prit près de deux ans, pénétrant le personnage de Bolden à travers chaque voix.

★

En fait Bellocq avait été le premier surpris par le départ de Buddy Bolden. Il avait poussé son imagination jusque dans le cerveau de Buddy, il la lui avait transmise maladroitement par-dessus la table pour l'amuser, et celui-ci l'avait acceptée en échange de sa compagnie, sans savoir que leurs conversations se transformaient en acier chez son seul ami. Ils avaient passé des heures à parler, dépassant graduellement les limites des relations sociales. Comme Bellocq vivait aux limites de toute façon, il s'y sentait à l'aise, alors que Buddy, lui, avait foncé tout droit comme un explorateur naïf en quête de points d'appui. Bellocq ne s'attendait pas à cela. Ou alors l'ironie de la situation lui serait apparue clairement. La vie mystique qu'on cache si fièrement au-dedans de soi ne peut se réduire à un alphabet de bruits qui ont un sens pour les autres. Bellocq le savait bien, mais il ne s'était jamais donné la peine d'appliquer ce raisonnement à lui-même, il ne se considérait pas comme un professionnel. Même ses photographies étaient plutôt une forme de fétichisme, une sorte de jeu secret et triste. À bien y penser, Bellocq se rendait compte que c'était lui qui avait incité Buddy à agir de la sorte. Buddy, qui avait jadis joui de notoriété publique. Et puis cette petite amitié avec lui, dont il aurait presque pu se passer. Bellocq avait toujours cru que c'était Buddy qui lui faisait la faveur de son amitié, maintenant il s'apercevait que c'était le contraire.

*

Jaelin et Robin. Jaelin et Robin. Jaelin et Robin et Bolden. Robin et Bolden. C'était toute une histoire. Après la tromperie initiale, leur relation était devenue une affaire d'honneur. C'est ce qu'il chercherait à expliquer à Webb plus tard.

Le silence de Jaelin Brewitt les englobait tous. Cette façon qu'il avait de sortir discrètement en disant qu'il reviendrait le lendemain. Et il ne revenait jamais avant le lendemain. Les longues conversations qu'ils avaient tous les trois sur la mécanique du piano, la pêche, les étoiles. Cette année, dit-il un jour à Bolden, il y a une nouvelle étoile, l'étoile Wolf-Ryat. On devrait dire l'étoile Wolf, dit Bolden, c'est plus beau. C'est plus beau, oui, mais ce n'est pas son vrai nom. Elle a été découverte par deux hommes. Un qui s'appelle Wolf et l'autre qui s'appelle Ryat, expliqua Jaelin Brewitt. C'était toute une histoire. Plus tard, ils comprirent tous les deux qu'en fait ils parlaient de Robin.

★

Il ne reste plus aujourd'hui qu'une photographie de Bolden et son orchestre. Voici ce qu'on y voit:

Jimmy Johnson	Bolden	Willy Cornish	Willy Warner
à la contrebasse		au trombone à pistons	à la clarinette

Brock Mumford	Frank Lewis
à la guitare	à la clarinette

La photographie n'est ni bonne ni nette, en partie parce que cette épreuve a été trouvée après l'incendie. Cette photo imbibée d'eau par les boyaux d'incendie resta en la possession de Willy Cornish pendant plusieurs années.

L'incendie. Bellocq commence par disposer ses chaises tout autour de la pièce. Dix-sept chaises. Il a été obligé d'en emprunter quelques-unes. Une fois les chaises ainsi placées, on dirait qu'il y a un balcon tout autour de cette pièce de vingt pieds sur vingt. Puis il prend une bougie, l'allume, monte sur une chaise et met le feu au papier peint à mi-hauteur du mur; il fait le tour de la pièce sur ce sentier de chaises pour mettre le feu partout. Il descend péniblement et revient au centre de la pièce. Il y a beaucoup de bruit. Les planches craquent sous le papier peint et, au milieu de cette chaleur, il garde le silence, aussi immobile que possible, cherchant à respirer cérémonieusement le peu d'oxygène qui reste. Puis il respire la fumée. Il est couvert, entouré de blanc, on dirait qu'un nuage s'est amoncelé dans la pièce.

Le vacarme est infernal. Puis arrive un moment où il craque, incapable de respirer calmement, il vomit la fumée et se jette sur le mobilier rouge, sur les chaises en feu, il finit par aller s'écraser sur le mur, sinon qu'il n'y a plus de mur, juste un rideau de feu où il disparaît comme s'il plongeait à travers une vague pour en ressortir, rouge, de l'autre côté. Dans un plongeon invraisemblable. Il s'attendait à ce que le mur soit là, et son corps s'y était préparé, son esprit s'y était préparé, alors son corps se contracte pour résister à une force imaginaire et il a l'air de s'être heurté à une structure invisible dans l'air.

Puis il tombe, en perdant sa pose. Tout va mal. Le mur n'est pas là pour le recevoir ou le cacher. Il n'y a rien là, aucune certitude à embrasser.

En plein soleil. Je suis le seul objet entre l'eau et le ciel. Ou bien l'œil se concentre sur un foyer sombre et étroit ou bien c'est la folie du chaos blanc, les yeux écarquillés, pour les brûler, pour qu'ils se changent en pierres.

C'est la fin de l'après-midi, je reviens à pied sur la grève et la petite maison est là contre moi, sombre et ombragée. Robin et ses amis. Je suis imprégné de cette intimité blanche. Collisions autour de moi. Les yeux bouchés, remplis de gens. Hier Robin au milieu d'une discussion m'a jeté de la crème au visage. Sans réfléchir, j'ai sauté sur la première chose qui m'est tombée sous la main, un pichet plein de lait que je lui ai lancé. Elle était près de la porte de la cuisine et riait et pleurait à la fois de ce que j'avais fait. Elle s'était accroupie en voyant venir le lait et était restée figée dans cette position. Du lait plein son beau visage brun au doux regard égaré. J'étais planté là, avec le pichet qui dégouttait encore sur le plancher.

Jaelin et les autres dans la pièce gardaient le silence. Je déposai très doucement le pichet sur la table d'un geste posé, car je voulais qu'elle voie que j'étais libéré de toute tension. Puis j'allai chercher une grande serviette, que je plaçai sur sa blouse mouillée. Ensuite, poltron mais sage, je quittai la maison et revins plus tard dans la soirée une fois que tout le monde fut au lit. Quand je suis entré, elle était encore dans le salon, presque endormie dans un fauteuil.

Allons nager. Je veux me débarrasser du lait que j'ai dans les cheveux.
Je regrette ce que j'ai fait, tâche d'oublier ça.
Non, Buddy, je n'oublierai pas ça, mais je sais que tu le regrettes.
Autant que ça soit arrivé, dans le fond.
Oui, tu vas être sage pendant quelques jours. Mais la prochaine fois, que vas-tu encore briser, une fenêtre, une chaise?

Tais-toi, Robin.
Tu crois vraiment pouvoir revenir tranquillement sans que je dise quoi que ce soit? Alors que Jaelin est ici?
Écoute, ou bien tu es la femme de Jaelin ou bien tu es ma femme.
Je suis la femme de Jaelin et je t'aime, rien n'est simple.
Oui, mais ça devrait l'être.
Comment penses-tu qu'il se sent. Il n'a rien dit, même quand tu es sorti. T'attends-tu vraiment à ce que je ne dise rien.
Oui. Je regrette, tu le sais.
O.K. ... Allons nager, Buddy.

Elle sourit. Et mon sourire à moi est le plus grand cri jamais lâché.

Nous glissons lentement dans l'eau comme du verre lisse, après avoir laissé nos vêtements près de la grosse pierre. Nos têtes effleurent la surface.

Du moment que je ne vous fais pas de peine, ni à toi ni à Jaelin.
Du moment que je ne vous fais pas de peine, ni à toi ni à Jaelin, elle me singe. Puis elle s'enfonce et nage comme un huard, sa tête s'éloigne de moi. Sous nos têtes, il y a

toutes sortes de créatures sinistres qui nagent dans le noir guettant le moment de nous effleurer d'un cauchemar ou d'une crise cardiaque, ou de nous faire sombrer dans les ténèbres et les complications. Son rire de huard. L'eau s'agite comme une étoile terne sous nos corps. Je nage vers ce chant de folie.

Va voir Tom Pickett.
Pourquoi?
Parce qu'il, parce que Buddy l'avait tailladé.
Pourquoi Pickett?
Va donc le lui demander.
Où vais-je le trouver?
Sais pas.
Il faut me le dire, Cornish.
Essaye le Chinatown. L'opium.
C'était à cause de ça?
Non.
O.K. Je vais le trouver.

Et puis au moment où Webb est sur le pas de la porte,
Cornish qui dit:

Écoute, ce qu'il va te dire est vrai. Moi, j'ai vu son
visage après. Tu ne le croiras pas, mais c'est vrai.
Merci, Willy.

Après une journée de recherches, il trouva Pickett dans la
chambre des mouches. L'air était humide et épais. Il
passait son temps à chasser les mouches de son visage et de
ses cheveux.

Que je ne te voie pas en tuer une, toi, sinon tu vas
sortir. Et puis de toute façon fiche-moi le camp d'ici.
Qu'est-ce que c'est cette foutue merde. Non, pas la
came, mais cette saleté: les mouches.
C'est moi qui les invite, O.K.? Si ça fait pas ton
affaire, va-t-en.

Cornish ne devait pas être au courant, sinon il l'aurait averti. Cornish n'avait jamais dû venir ici. C'était à peine si Webb pouvait respirer sans qu'il lui en entre une dans le nez ou dans la bouche. En début de soirée, toutes les fenêtres closes, aucune brise, rien que Tom Pickett et des assiettes garnies de nourriture un peu partout dans la pièce.

Tu es le premier à entrer ici depuis que j'ai commencé. Dis-le pas à d'autres.

Je suis venu te parler de Buddy.

Je l'avais deviné. Tout le monde parle de lui.

Pickett étendu sur le plancher et Webb au-dessus de lui.

C'est lui qui m'a fait ça. Pickett tapa des mains près de sa figure et les mouches s'envolèrent un moment puis revinrent se poser. Cinq ou six cicatrices sur sa joue. Pickett était un ancien souteneur, autrefois, c'était un des plus beaux hommes du District.

On a cherché à l'arrêter? C'est pour ça qu'il est parti? Non.

Pourquoi est-il parti?

Sais pas. Je ne pense pas que ce soit à cause de ça. Tu vois, il était capable d'accepter ce qu'il faisait, il pouvait faire une chose comme ça et se pardonner lui-même. La honte n'a jamais été un problème grave pour lui.

Comment est-ce arrivé?

Les mouches se déplaçaient dans les sillons de sa figure.

Neuf heures. Orage. Pluie dehors. J'ai fini le *Criquet*. Je ne veux plus penser. Le garçon est venu me porter une bouteille et je ne l'ai pas encore débouchée. Je regarde le mur derrière moi dans le miroir. Seul. Je veux réfléchir.

Tom Pickett arrive. Pantalons noirs et chemise blanche que l'orage lui colle à la peau. T'as le temps de me faire une bonne coupe de cheveux, Buddy? Je pense que c'est ce qu'il a dit, quelque chose comme ça. Les gouttes d'eau avaient laissé de longues taches qui paraissaient brunes sur sa chemise. Je me lève et lui donne une petite serviette pour qu'il s'assèche les cheveux, je dévisse le bouchon et je lui passe la bouteille. Bon dieu, elle n'a pas été entamée, es-tu malade? Je hausse les épaules et lui montre la chaise pour qu'il s'y assoie. Comme toujours, il prend bien soin de m'expliquer exactement ce qu'il veut. Les gens qui sont beaux sont très conservateurs. Et il pose ses pieds sur le lavabo, comme d'habitude. J'étends la serviette sur sa chemise et la noue derrière son cou. Il me passe la bouteille et je la range.

« Je lui ai demandé s'il était de mauvaise humeur, il était si tranquille, ce qui était foutument rare pour lui; mais il ne voulait rien dire. Je suppose que si tu veux savoir ce qui s'est passé, tu devrais essayer de découvrir pourquoi il était comme ça. Alors je me suis mis à le taquiner à propos de son orchestre qui jouait trop et il n'avait pas grand-chose à dire là-dessus non plus. Il me coupait les cheveux à ce moment-là, il suivait mes instructions. Mais il était... comment dirais-je, tendu. J'ai commencé à lui raconter une blague à propos de ... c'est fort hein? Je me souviens encore de ce que c'était. C'est l'histoire d'un gars qui se sent bien, mais qui se fait dire qu'il a mauvaise mine par tout le monde qu'il rencontre. En tout cas, de toute façon, il m'a dit qu'il la connaissait, alors je me suis fermé. Je pouvais le voir dans le miroir tout ce temps-là. Puis on s'est mis à bavarder, je ne cherchais plus à l'agacer. On parlait des filles qui travaillaient pour moi. On finissait toujours par parler de ça. C'était notre seul véritable point commun. D'habitude c'était un bon sujet de conversation parce que lui, même s'il ne faisait pas ça pour de l'argent, il était bon pour ramasser des femmes. Je ne sais pas si tu savais ça. »

« Oui. »

« En tout cas, il en parlait toujours avec un certain humour. Il n'essayait jamais de me sermonner. En tout cas, je parlais tranquillement du métier comme ça, il avait fini le côté gauche, et puis il se met à crier à tue-tête, il se met à m'engueuler comme du poisson pourri. D'abord j'ai pensé que c'était un jeu, alors je lui ai répondu sur le même ton. Je pensais qu'il faisait ça pour rire. Je me suis mis à faire des insinuations à propos de Nora et de moi; tout ce temps-là, je le regardais dans le miroir en souriant. Et alors il me glisse la serviette autour du cou et tire de toutes ses forces, il me colle le cou sur le dossier du fauteuil. Il a le bras gauche sous mon menton — comme ceci — alors, de son autre main, il ouvre le rasoir et fait jaillir la lame d'un coup de poignet, comme s'il voulait le jeter; il découpe ma chemise et ouvre le devant de deux coups de rasoir. Une fois la chemise ouverte, il commence à me raser le poil sur la poitrine. Je ne bougeais pas et je ne disais rien. Je pensais qu'il valait mieux que je reste tranquille. Tout à coup il me fait partir un bout de tétine. Je ne pense pas qu'il l'ait fait exprès, c'était probablement un accident. Mais là je me suis mis à crier moi aussi. Alors il me lâche le cou et commence à me raser le visage de plus en plus vite, me voilà plein de petites coupures, la douleur me tirait des larmes, qui coulaient dans les plaies; finalement je réussis à lui attraper le poignet avec le rasoir et à me libérer, c'est à ce moment-là que je me suis fait faire une grosse coupure dans le visage, celle-là ici. Mais je me suis dégagé et je me suis emparé d'une petite chaise pour me défendre. »

En plein sur la tête. Mais j'ai encore le rasoir et on est l'un en face de l'autre. Le sang lui dégoutte du menton, sa chemise déchirée est toute mouillée. Il se regarde d'un coup d'œil dans le miroir et les larmes lui jaillissent du visage. Je suis épuisé, j'ai de la peine pour lui. Je ne lui en veux plus maintenant. Je suis vidé, mais je ne peux pas lui dire. Qu'est-ce que j'ai fait? Et Pickett, qui se prépare à me sauter dessus, regarde partout dans la pièce. Tenant toujours la chaise avec laquelle il m'a frappé sur la tête, il s'approche du lavabo en se déplaçant de côté. De l'autre main il agrippe le cuir à rasoir, qui est muni d'un crochet de métal au bout. Il le fait osciller vers la gauche puis il le ramène lentement vers la droite puis il envoie le crochet au centre du miroir. Quarante-cinq dollars. La glace tombe dans la serviette qu'il avait déposée dans le lavabo. En gros éclats, c'est ce qu'il voulait. Je suis au fond de la pièce avec le rasoir.

Il ramasse un grand morceau de glace et me le lance à la tête à l'autre bout de la pièce. La glace atteint le mur à gauche de mon épaule, mais le morceau venait vraiment vite et j'ai eu peur. Je sais qu'il va finir par m'avoir. Il prend un autre morceau et me le lance d'un coup sec à vingt pieds de distance, il a bien visé. Mon cou. Je vais être touché je suis mort. Peux pas. Bouger. Mais le morceau de verre dévie sur un muscle d'air, monte et vient s'écraser au-dessus de ma tête. La porte s'ouvre près de moi, Nora. Qu'est-ce que! Recule. Et je cours sur lui avant qu'il ne puisse prendre un autre morceau et le force à reculer du lavabo en le menaçant du rasoir. Il me tient à distance avec la chaise dans sa main gauche, avec la droite il fait tourner le cuir et me donne un grand coup sur le coude gauche. Cassé net. Aucune douleur encore, mais je sais qu'il est cassé. Il essaie de me frapper avec la chaise, mais elle est trop lourde, il ne peut pas agir vite, et je m'esquive. D'un coup de cuir il m'attrape sur le genou. Engourdi mais je peux le bouger. Il essaie de me donner un autre coup de chaise, mais je laisse tomber le rasoir, je lui arrache la chaise et le force à reculer; maintenant je peux me protéger contre la lanière de cuir, mais ma main gauche est toujours morte. J'aperçois Nora dans un autre miroir. Le salon est complètement vide à part nous deux et Nora qui hurle dans un coin au fond, criant à tue-tête que nous sommes fous nous sommes fous.

Pickett a le visage enflé, il n'y voit plus très clair avec ses yeux bouffis. L'équilibre. Sa bande de cuir et ma chaise. Je ne bouge pas la chaise. Si je romps l'équilibre, il me visera à la tête. Mon genou flanche, la douleur commence à se faire sentir. Je ne sens plus mon bras. Pickett s'élance et le cuir s'emmêle dans la chaise. Je le pousse fort fort et il tire le bois presque sur son visage qu'il ne veut pas que je touche. Je pousse encore et il passe par-dessus les blocs de glace à travers la vitrine, qui s'effondre autour de lui comme une toile d'araignée, dans un grand craquement; il passe au travers, le crochet du cuir à rasoir tire la chaise à laquelle je m'agrippe comme un forcené et je passe par-dessus les blocs de glace et à travers la vitre et le cadre vide moi aussi. Et nous nous retrouvons dans la rue.

La rue Liberty. Grise avec de lourdes cordes de pluie qui rebondissent sur le verre brisé, Pickett sur le trottoir où je tombe moi aussi, sur mon mauvais bras, qu'il reçoit à coups de pied, mais il n'y a pas de douleur, ça pourrait être du métal. Nous nous éloignons l'un de l'autre à quatre pattes. Trois pieds entre nous deux, nous sommes toujours unis par le cuir et la chaise, la pluie forte et drue. Sa chemise qui était rouge dans le salon est maintenant gonflée et rose, la cerise s'étend vis-à-vis de son mamelon. À bout de force. Silencieux. Une bataille de pluie autour de nous. Nora qui crie par la fenêtre ouverte arrêtez arrêtez, puis qui sort et qui court jusqu'au casier à bouteilles vides, et qui commence à lancer des bouteilles de Coca-Cola entre nous deux. Bang Bang Bang. Il y en a qui roulent par terre sans se briser, mais nous ne bougeons toujours pas. Alors elle se met à viser Pickett. Elle le touche au pied, il recule comme si de rien n'était, sans me perdre de vue, alors elle lui en lance une sur le côté de la tête et il en a le souffle coupé, la bouteille l'a touché sur une coupure. Du sang plein son visage. Il s'ébroue et laisse tomber le cuir, il se met à reculer, les mains devant les yeux, puis il part en titubant dans la rue en criant que j'ai essayé de le tuer.

Alors il me laisse, Tom Pickett. Il s'en va dire à mes amis que je suis devenu fou. Nora qui s'approche de moi lentement pour me dire que je suis fou. Je dépose la chaise par terre et je m'y assois. Fatigué. La pluie qui m'entre dans la tête. Nora dans ma tête. Tom Pickett au bout de la rue Liberty me crie quelque chose en agitant les bras, en me faisant des signes, l'ancien amant de ma femme, ancien souteneur, assis en face de Tom Pickett qui *était* beau. Nora me caresse le bras, je ne lui dis pas que je ne sens pas ses doigts. Sa colère ou sa pitié. La pluie comme autant de petites fenêtres tombe autour de nous.

LE BLUES DE BUDDY BOLDEN

*

Brock Mumford

« Il n'était pas endurable à cette époque, c'était juste avant qu'il s'en aille. J'avais une chambre au quatrième étage. La chambre no 119A, où nous étions hier. Je me cachais des gens. C'était le bordel autour de Buddy à cette époque-là. L'orchestre se démembrait et moi je servais d'entremetteur; c'est à moi qu'on venait demander qui avait raison et qui avait été injuste cette fois-ci ou cette fois-là. Alors j'avais cessé de sortir le jour parce que j'étais sûr d'en rencontrer un. Buddy était toujours en train de crier. Dans les discussions, il essayait toujours d'avoir le dessus en criant à tue-tête.

« La dernière fois que je l'ai vu... La porte d'en bas était fermée à clé. La cloche a sonné, je ne voulais pas répondre et je suis resté étendu sur le matelas, à fumer. Quelques minutes plus tard je l'entends qui frappe à la fenêtre, il était passé par le toit. En fait c'était assez facile à faire, mais il avait l'air si fier de lui que je ne le lui ai pas dit. Si on lui enlevait quelque chose dans ce temps-là, ou bien il se mettait à crier ou bien il gardait un silence boudeur. Il était bien bébé — mais en fait, il faut le dire c'est important, la plupart du temps il avait raison. Il y en avait beaucoup qui auraient voulu le voir se casser la figure à cette époque-là. L'affaire Pickett l'avait rendu impopulaire. Buddy n'est pas parti au sommet de sa gloire, vous savez. Il n'y a personne qui fait ça. On a beau dire, il n'y a personne qui fait ça. Quand on est au sommet, on n'a pas le temps de penser à s'arrêter, on continue à monter à monter à monter. C'est seulement après quelques mois, quand on commence à perdre la main — on s'en aperçoit ordinairement avant les autres — c'est à ce moment-là qu'on commence à se retirer, si on est du genre à se retirer. Mais il jouait encore très bien...

« Il est entré par la fenêtre, il s'est assis au pied du lit où j'étais couché et, sans plus attendre, il s'est mis à parler. Comme vous. Il était assis et il parlait, mon dieu qu'il parlait, juste pour se plaindre. À propos de Frank Lewis, j'ai oublié. Quelqu'un l'avait croisé dans la rue sans lui adresser la parole, probablement sans même le voir. Il n'arrêtait pas. Alors je l'ai interrompu pour me plaindre moi aussi, j'ai commencé à lui expliquer que j'étais écœuré, que j'en avais marre de faire le juge dans toutes leurs querelles. Je lui ai dit que moi aussi j'avais des problèmes. C'était la première fois que je lui parlais comme cela, vous savez, et je pensais que ça pourrait l'intéresser, mais au bout d'une minute il commença à me faire sentir que ça l'ennuyait. Comme s'il était agacé, vous savez, il regardait autour de la pièce, il reniflait, il clappait de la langue et il soupirait comme s'il en avait assez d'entendre ce genre de choses. Alors je me suis fermé et il a continué. Au bout d'une heure il est parti. Rendu là, même moi j'écoutais plus. Il est sorti par la fenêtre en disant qu'ils surveillaient probablement la porte.»

SI Nora avait été avec Pickett. Si elle avait vraiment été avec Pickett comme celui-ci prétendait. Si elle s'était effectivement dégagée de la bitte de Bolden pour aller une demi-heure plus tard s'asseoir sur la bouche de Tom Pickett rue du Canal. Alors toutes les certitudes, qu'il avait en horreur même s'il les jugeait nécessaires, étaient fondées sur des sables mouvants.

Nora et les autres avaient toujours eu tellement besoin du beau Pickett. Si elle lui avait lancé des bouteilles à la tête sous la pluie comme pour le balayer de son existence, cela signifiait qu'elle avait une vie bien à elle, distincte de celle de Bolden. Il se rendait bien compte maintenant que dans cette scène de rue s'était déroulé un combat où lui n'avait rien à voir. Pickett qui venait de prétendre qu'il la connaissait à fond, jusqu'aux os; bon dieu, il connaissait même le nombre d'os qu'elle avait dans le corps.

Bolden était capable de tout imaginer, la mouillure infidèle de sa femme quand elle s'accroupissait sur lui ou qu'elle s'agenouillait sous lui ou qu'elle le buvait en longs baisers complexes. Le problème, c'était que Pickett avait l'esprit tellement limpide qu'on pouvait voir au travers, et aussitôt qu'il avait dit qu'il baisait Nora, Bolden l'avait cru. Tout en projetant un écran de rire devant les phantasmes de Pickett, il le croyait. Le cerveau de Tom Pickett était en effet incapable d'avoir des phantasmes.

Il appela Cornish. Celui qui prêtait son oreille à tout le monde. Il le fit boire et le força à écouter. ÉCOUTE! Il avait tellement bu que la fureur générale de son discours se désintégrait et devenait un tissu de répétitions, de mensonges et de phantasmes. Il s'imaginait que Nora passait la matinée avec tous les musiciens de l'orchestre. Vers 4 heures du matin ils étaient tous les deux figés le verre à la main, incapables de bouger. Bolden était étendu sur trois chaises et marmonnait quelque chose au plafond.

Ben, il faut que je m'en aille, Charlie.

NON! Pars pas, dis-moi seulement ce que tu penses de cette chienne-là.

Ben là, t'es pas sûr, c'est une belle femme, Charlie.

Oui, et puis après — en le singeant — moi aussi je suis beau. Il éclata de rire, mais d'abord il posa les mains sur le plancher pour pouvoir rire à son aise. Et puis au moment où Cornish était enfin parvenu à la porte, voilà Bolden sur le plancher qui dit: « Tu sais... malgré tout ce qui nous arrive, on se trouve quand même bien bons!» Il riait encore après que Cornish soit parti, au point d'en avoir mal à la poitrine et à la gorge.

Il resta étendu là, crucifié, ivre mort. Il amena son poignet gauche à ses dents et le mordit de toutes ses forces pendant plusieurs secondes, mais il perdit son sang-froid et le laissa retomber. En s'endormant les veines lui démangeaient d'être passées si près d'être libérées. L'extase avant la mort. L'idée faisait son chemin en lui pendant qu'il dormait.

LE BLUES DE BUDDY BOLDEN

*

Le tromboniste Frankie Dusen prit certains des musiciens de Bolden avec lui pendant un certain temps. Le groupe s'appelait Eagle Band. C'est Bunk Johnson, un garçon de dix-sept ans, qui prenait sa place. Bolden arriva un jour à Lincoln Park et en le voyant jouer là, en avant au centre, il fit demi-tour et fendit la foule, qui s'écarta sur son passage. Dude Botley, qui le suivait, raconte cette histoire à laquelle certains ajoutent foi et d'autres pas du tout.

« Il sort du parc comme un coq, sans regarder rien ni personne, et il remonte la rue du Canal. Je le suis jusqu'au salon de rasage. La fenêtre à la vitre brisée est couverte de planches de bois, il en arrache une et grimpe à l'intérieur, il enjambe la tablette de blocs de glace et se met à arpenter le plancher, les bras écartés comme s'il marchait sur une corde raide. Moi je me trouve de l'autre côté de la rue et je regarde; bientôt il est assis dans un fauteuil et se contente de regarder dans un miroir. C'est pas mal sombre là-dedans, il n'y a pas beaucoup de lumière. Il y a seulement de la lumière derrière la boutique, qui se répand sur le plancher du salon. Bolden n'arrête pas de remuer dans son fauteuil, comme un chien. Il ne devrait pas être là, parce qu'il ne travaille plus à cet endroit. Il est à peu près 8 heures du soir et moi je me dandine de l'autre côté de la rue parce qu'il commence à faire froid, et que je devrais être allé danser. Même que j'entends la musique qui vient de Lincoln Park quelques rues plus loin.

Je le vois qui s'en va vers le fond du salon, là où il y a de la lumière et il revient avec une bouteille et son cornet.

93

D'abord il essaie de boire, puis il se met à pleurer et pose la bouteille dans le lavabo. Les larmes me sont montées aux yeux à moi aussi. Je me suis mis à penser à tous les hommes qu'il avait fait danser et aux femmes qui l'idolâtraient quand il déambulait dans les rues. Où sont-ils tous maintenant, que je me suis dit en moi-même. À ce moment-là j'ai entendu le cornet de Bolden, pas fort du tout, et j'ai traversé la rue pour me rapprocher. Il était là, vautré dans un fauteuil à souffler doucement dans son instrument argenté, à peine un soupir, il avait mis la sourdine... Je connaissais sa façon de jouer le blues, et je l'avais déjà entendu jouer des hymnes aux funérailles, mais ce qu'il jouait maintenant était très étrange; en écoutant attentivement je m'aperçus que ce qu'il jouait ressemblait aux deux à la fois. D'abord je n'arrivais pas à reconnaître l'air, ensuite j'ai compris. Il les mêlait tous les deux. Il jouait le blues et puis il jouait l'hymne plus tristement que le blues et ensuite il jouait le blues encore plus tristement que l'hymne. C'était la première fois que j'entendais hymne et blues dans la même sauce.

On est rendus à peu près trois à la fenêtre à ce moment-là et un étrange sentiment s'empare de moi. Je commence à ressentir une sorte de peur, parce que je sais que le Seigneur n'aime pas qu'on mêle la musique du diable à Sa musique. Mais j'écoute quand même parce que cette musique est si étrange, et puis je devais être hypnotisé. Quand il jouait le blues je pouvais voir Lincoln Park avec tous les pêcheurs qui dansaient en se frottant le ventre contre les putains, et les poulettes qui se tapaient sur les fesses. Et puis quand il jouait son hymne, je me retrouvais dans l'Église avec ma mère et tous les paroissiens qui chantaient en sourdine. L'image changeait constamment avec la musique. On aurait dit un combat entre le bon Dieu et le diable. Il y avait quelque chose en moi qui me disait d'écouter pour voir qui allait gagner. Si Bolden arrêtait sur l'hymne, ce serait le bon Dieu qui gagnerait. S'il arrêtait sur le blues, ce serait le diable qui gagnerait. »

4763, rue Callarpine. L'adresse des Brewitt.

Webb arriva en face de la maison à sept heures et demie du matin. Il gara la voiture et dormit jusqu'à neuf heures. Jusqu'à ce qu'il croie qu'ils étaient éveillés. Bolden devrait être là et Robin Brewitt devrait être là. Et peut-être Jaelin Brewitt. Les arbres étaient laids sur la pelouse, il passa par le côté de la maison et gravit les marches du perron. Il frappa à la porte. Aucune réponse. Il entra dans la pièce, mais ne vit personne. Il frappa à une porte dans le corridor et regarda à l'intérieur. Robin Brewitt dormait.

Quoi?
Excusez-moi. Je cherche Buddy.
Il est levé. Peut-être à la salle de bain.

Il fit un signe de la tête et referma doucement la porte. Il alla au bout du couloir. Il frappa à la porte de la salle de bain.

Ouaip!

Alors il entra et le trouva.

Il s'assit sur le bord de la baignoire dans laquelle son ami prenait un bain. En premier Bolden riait. Il n'en revenait pas. Il voulait savoir comment. Webb lui donna tous les noms. Nora. Cornish. Pickett. Bellocq. Bellocq! Oui, Bellocq est mort maintenant, il s'est tué dans un incendie. Qu'est-ce que tu veux dire, il s'est tué dans un incendie? Il a mis le feu autour de lui.

Ils entendaient Robin dans la cuisine à travers le mur. Et ça c'est Robin Brewitt? Bolden acquiesça d'un signe de tête dans l'eau. Et Jaelin Brewitt va et vient. Bolden acquiesça. Et ta musique. Je n'ai pas joué une note depuis près de deux ans. Y as-tu pensé? Un peu. Tu pourrais t'exercer dans le cabanon de Pontchartrain. Je ne veux pas y retourner, Webb. Tu veux y retourner, Buddy, tu veux y retourner. Webb sur le rebord émaillé qui n'arrête pas de parler, pourquoi as-tu fait tout cela, Buddy, pourquoi ne reviens-tu pas, qu'est-ce que tu fais de bon ici, tu ne fais rien, c'est du gaspillage, tu —

Finalement Bolden s'enfonce sous l'eau pour échapper au bruit; quand il ouvre les yeux, il aperçoit à travers un brouillard liquide la vague silhouette de Webb qui lui fait des gestes; à bout de souffle, son cœur en furie qui voudrait bondir, mais Bolden se retient sous l'eau parce qu'il ne veut pas sortir, il s'agrippe au bord de la baignoire avec ses coudes pour s'empêcher pour s'empêcher ô bon dieu de bon dieu laisse-moi tranquille, les yeux au ciel, ça fait mal, si Webb plonge le bras pour essayer de le tirer il ne sortira jamais il le sait, de l'air! Son cœur vide l'emporte sur ses bras et il explose à la surface aspergeant Webb, engouffrant tout l'air qu'il peut.

Essoufflé, oui O.K. Webb, O.K. O.K. O.K. Accroupi et essoufflé les yeux fixés sur les robinets pendant que Webb à sa droite essayait de balayer les gouttes sur son habit et se remettait à parler, mais Buddy l'écoutait à peine, il écoutait derrière lui, Robin et les bruits de cuisine du matin, qu'il savait devoir perdre bientôt. Webb pouvait maintenant se permettre de relâcher le lapin qu'il avait poursuivi, parce que la cage était ouverte maintenant et qu'il ne lui resterait plus qu'une saveur insignifiante de lapin insignifiant quand il aurait fini.

Robin frappa à la porte. Est-ce qu'il reste pour le petit déjeuner, Buddy?

Silence. Comme une gigantesque bête sauvage tournant en rond dans la salle de bain. Juste avant de fermer les yeux, il la revoit debout, quelques années auparavant, tenant deux verres de jus d'orange. Oui. Il reste pour le petit déjeuner.

La chanson du train

Fleurs de chicorée, bleues dans les champs comme le
ciel.

Fleurs de chicorée, bleues dans les champs comme le
ciel.

Fleurs de chicorée, bleues

comme le ciel,

comme le ciel comme le ciel comme le ciel

fleurs de ciel, chicorée

fleurs de ciel chicorée bleue

★

Après son départ, nous sommes demeurés à table avec les restes du petit déjeuner. Tous les deux, nous avons compris exactement au même moment. Quand Webb était là avec toutes ses histoires à propos de moi et de Nora, à propos de la rue Gravier ou de la rue Phillip, il y avait comme un mur de verre armé qui nous séparait moi et Robin. Et quand il est parti nous sommes restés là, immobiles, sans bouger ni parler, pour faire comme si la barrière de verre n'était pas là. Bon dieu à force de parler il m'avait aspiré dans son cerveau; j'étais devenu un pantin et elle, un paysage, si différent, si nouveau et si étrange, que je me sentais ridicule ici. Il a réussi à m'atteindre jusqu'ici, il a réussi à me mettre sens dessus dessous et à me diriger comme du trafic. Retourne à la maison.

Ici. Je suis anonyme, je suis seul dans une chambre blanche, sans histoire, sans rien à montrer. Ce que je fais ici ressemble à cette chambre et restera ignoré. Ici, je suis le roi des quatre coins. Et Robin qui m'a ôté toute renommée quand j'avais besoin de retrouver cette crainte des certitudes que j'avais à l'époque où j'ai commencé à jouer, à l'époque où j'ignorais encore que la popularité rétrécit l'espace vital de plus en plus, au point où l'on en vient à ramper sur son propre dos, rempli de son propre écho, au point où l'on ne boit plus que son propre souffle. C'est Robin et Jaelin qui m'ont redonné cette frayeur des objets insignifiants.

Il est venu ici et il a étendu mon passé et mon avenir sur cette table comme une route.

Cette dernière nuit nous nous entredéchirons, comme pour blesser, comme pour trouver la clé qui explique tout, avant le matin. La chaleur incroyable, nous allons acheter un sac de glaçons que nous nous faisons fondre dans la bouche avant de nous les recracher sur le corps; avec sa langue elle en glisse un sous la peau de ma bitte et moi j'en pousse un dans sa chaude fente écarlate. Pourtant c'est comme si nous avions déjà pris l'autobus du matin, tragique. Comme la glace que notre ardeur fait fondre. Poitrine et seins ruisselants, nous nous unissons, secrets, égoïstes et froids, dans cette vague de chaleur de septembre. Nous nous faisons mutuellement un numéro, blessures de glace. Nous créons un auditoire imaginaire et cet auditoire n'est qu'une répétition de nous-mêmes dans l'avenir. « Nous allons devenir fous séparés l'un de l'autre, tu sais. » La seule et unique phrase, sa voix contre ma main comme pour empêcher qu'elle ne la prononce. Chacun essaie d'imaginer l'avenir de l'autre, comme si maintenant, au dernier moment, nous tentions de mémoriser le visage, un mouvement que nous ne voudrons jamais oublier. Comme si le monde entier subissait le même sort que la glace.

Le matin. L'eau a complètement séché sur ma poitrine et sur mon ventre. Je me réveille crucifié sur le dos dans ce lit. Je n'ai pas besoin de me retourner. Lumière d'un nuage bleu dans la chambre. Je n'ai pas besoin de tourner la tête, je sais que Robin est partie. Déjà mon corps s'est déroulé dans l'espace qu'elle a quitté. Je me replie le bras gauche sur la poitrine puis je l'abats aussi fort que possible sur sa moitié du lit. Il rebondit sur les draps. Je le savais, elle est partie.

Il se rendit en autocar à la petite maison de campagne que
Webb avait au lac Pontchartrain. Les mains à plat sur les
cuisses et le corps appuyé contre la fenêtre, le temps
pluvieux dehors et cette femme à sa droite en robe noire,
qui lui a souri en s'assoyant, occupée à griffonner quelque
chose sur un bout de papier sur lequel elle se penche. Elle
contracte la jambe de temps à autre comme si c'était là
qu'était son cerveau.

Il essayait de se pénétrer de l'odeur de cette femme.
Le goût de sa bouche dans la prochaine chambre d'hôtel
qu'il verrait le long de la route. Il connaissait la configura-
tion de son corps. Il savait comment elle se tiendrait en
face de lui, les petits seins froids dans la chambre, le cœur
de cette femme. Il eut avec elle une relation qui dura des
mois, les premières querelles difficiles, puis lentement
l'intimité véritable, qui se désintègre après qu'ils aient fait
un échange de personnalité et de maniérisme, se lassant
finalement de la différence de leurs rythmes. Tout cela
avant qu'ils aient franchi un mille — elle continuait à
écrire et lui à s'imaginer le cœur et l'esprit de cette femme;
il ne lui jeta même pas un coup d'œil lorsqu'elle descendit
à Milneburg car c'était déjà une vieille connaissance maintenant, et il pouvait deviner toutes les expressions de son
visage, sa physionomie dans toutes les situations. Désir
fortuit en autocar, pour la faire entrer neuve dans son
cerveau et pour qu'après des mois et des années, des bribes
de son corps et de sa personnalité lui reviennent. Ce qu'il
voulait, c'était une relation cruelle, et pure.

*

Je suis arrivé cet après-midi. Je me promène et les objets que je trouve me font penser à toi. Des livres, des images au mur, les trous laissés par les clous dans le plafond quand tu suspendais tes aimants, des enveloppes de graines sur la tablette au-dessus de l'évier — la peau que tu jettes à la fin des vacances. Je retrouve l'odeur de ta personnalité.

Il n'y a pas assez de couvertures ici, Webb, et il fait froid. J'ai trouvé une vieille veste de chasse. Je dors contre cette toile imprégnée de la sueur du chasseur et de l'arôme des cartouches. Je me suis couché en arrivant et maintenant je suis éveillé, il est passé minuit. Un grattement de suicide dans un coin de mon cerveau.

Notre amitié n'avait rien d'accidentel, n'est-ce pas? Dès le début tu avais entrepris de m'éduquer pour faire de moi un meilleur homme. C'est ce que tu as fait. Tu m'as fait perdre mon manque de maturité exactement au bon moment et tu m'as fait économiser beaucoup d'énergie et je me suis échappé heureux et seul dans une nouvelle ville loin de toi, et voilà maintenant que tu sors une laisse, que tu enroules cette lanière de cuir autour de ton poignet de plus en plus en plus serrée, et que tu te trouves nez à nez avec moi. Et voilà que tu me ramènes à la maison. Comme ces éleveurs de bull-terriers dans les trous de Storyville qui sont prêts à tout pour prouver la valeur de leurs bêtes, qui, pour prouver la détermination de leurs chiens, les lâchent sur un animal et, lorsque le chien a les mâchoires rivées sur sa proie, iraient jusqu'à lui couper le corps en deux, convaincus que les mâchoires ne lâcheront pas.

Je n'aime jamais ce que je fais et je veux toujours quelque chose d'autre. Dans une pièce bondée de monde, l'air et le bruit des gens me rendent frénétique et, lorsque je suis seul, je flaire l'odeur de leurs corps sur mes vêtements. J'ai peur, Webb, je ne pense pas que je vais réussir à trouver une seule personne qui soit le bon public. Tout ce que tu as réussi à faire c'est de me couper en deux, en me braquant par ici. Où se trouvent des réponses dont je ne veux pas.

Je sors et je pisse dans ton jardin. En revenant sur le perron, je trouve le chien en train de laper son bol d'eau en tâchant d'éviter les feuilles jaunes qui y flottent. Prenant tout son temps, il prend la position idéale afin de pouvoir glisser sa langue sous le jaune. Il recourbe la langue et réussit à attraper l'eau invisible. Il entre dans la maison avec moi, la dernière lampée lui dégouline encore des babines. Une fois à l'intérieur, il se met à tourner en rond pour se débarrasser de l'air froid de la nuit emprisonné dans ses poils.

Ce chien me suit partout où je vais. Si je marche trop lentement, il va de l'avant et m'attend en regardant derrière lui. Si je pisse dehors, il s'approche, examine et pisse au même endroit, ensuite il gratte la terre. Une fois, il est même venu près de la tache mouillée et l'a recouverte sans rien faire lui-même. Aujourd'hui je l'ai observé attentivement et lui ai rendu la politesse. Après qu'il eut fait pipi sur un arbre, j'y suis allé et j'ai pissé dessus moi aussi, ensuite j'ai raclé la terre avec mon soulier pour qu'il sache que j'avais adopté son système. Il était enchanté. Il a aboyé fort et a couru autour de moi pendant quelques minutes, tout excité. Il devait penser qu'une percée importante venait d'être accomplie pour la civilisation canine et, qui sait, peut-être avait-il raison. Qu'est-ce que t'en dis, Webb, une touche d'humour pour te faire plaisir.

Fatigué. Il me faudrait du soufre. Quand on est fatigué,
qu'on se sent le corps épais, il faut respirer du soufre. C'est
ce que faisait Bellocq. Toujours. Deux heures du matin
trois heures du matin, contre la fenêtre d'un restaurant,
dans la rue, il frottait une allumette sur l'allège et la
reniflait. L'ammoniac lui montait au cerveau comme une
déchirure. Ça le secouait de sa fatigue. Puis il reprenait son
discours, qui pouvait porter sur n'importe quoi sauf sur la
musique; c'était un ami qui faisait peu de cas des girafes de
la renommée. Je lui disais: « Toi, cette musique-là, ça
t'intéresse pas, hein? » Et il me répondait: « Non, pas
encore. » Lui qui assistait à mon autodestruction, aurait
voulu me voir revenir dans mon corps, comme dans une
chambre noire, pour y trébucher sur ce que j'y trouverais.
À l'abri des regards indiscrets. Incapable de me livrer. Je
disais de plus en plus qu'il avait tort et passais pourtant de
plus en plus souvent des soirées entières avec lui.

Un petit homme fatigué assis sur un banc de restaurant ou dans mon fauteuil de barbier, qui n'exprimait
jamais son mépris, simplement son ennui face à ce que
j'essayais de faire. Et moi qui dans mon orgueil l'avais
d'abord accusé d'être insensible à la musique! Ce qu'il
m'offrait, c'étaient des espaces noirs, vides. Lui qui se
ravivait avec des allumettes une fois par heure, il voulait
que j'en vienne à ne rien voir d'autre que la souffrance qui
était en moi, celle qui m'appartenait en propre. Finalement, oui, il y a un besoin de rentrer à la maison, Webb,
pour retrouver ces noirs déserts fortuits.

Je sais que je ne peux pas parler de lui sans que tu interprètes ce que je dis comme les manœuvres d'un ennemi, mais ce que j'appréciais en lui, Webb, c'étaient les possibilités qu'il offrait dans son silence. Il était tout simplement *là*, comme une petite ombre sous le soleil de midi. Ce cher Bellocq, il était si court que c'était le seul qui pouvait s'étirer dans le salon de rasage sans se faire happer par les pales du ventilateur. Il ne présumait de rien. Il ne se fiait à rien, pas même à moi. Je ne peux pas te le résumer; c'est lui qui m'a incité à sortir du monde du spectacle, où je tentais d'attraper tout ce qui passait. Ce qu'il me proposait c'était la consolation d'une taupe, la duplicité d'une taupe. Viens avec moi, Webb, je veux te montrer quelque chose, non, viens avec moi, je veux te *montrer* quelque chose. Viens toi aussi. Passe ta main par cette fenêtre.

Tu ne me connaissais pas par exemple quand j'étais chez les Brewitt, sans Nora. Nous jouions aux cartes tous les trois toute la soirée et ensuite Jaelin restait en bas et Robin et moi nous allions nous coucher, moi avec sa femme. Il était d'abord seul et silencieux en bas. Puis il s'assoyait et enfonçait les dents du piano. Quand il répétait, il nous rejoignait en haut, chaque note un doigt sur notre chair. Le petit coup inaudible de ses doigts endurcis et le muscle qui pénétrait dans la machine pour en tirer une note, le son qui montait l'escalier et passait à travers la porte, pour venir la toucher sur l'épaule. Cette musique était pour lui une façon de danser devant une salle remplie d'ennemis. Moi, je l'aimais en bas, autant qu'elle aimait cet homme-là en bas. Bon dieu, être capable de s'asseoir et de jouer, de tout faire basculer en musique! Être capable de prendre sa colère et de la fourrer dans le piano tous les soirs comme si de rien n'était. Il attendait toujours une demi-heure, comme les chiens attendent que leur maître soit couché avant d'aller fouiller dans la poubelle de la cuisine. Cette musique était si incertaine qu'elle était belle à fendre l'âme. Elle passait à travers les murs. Cette colère perdue contre elle, contre moi, contre lui-même. Des balles de musique qui venaient se loger dans le lit où nous nous trouvions.

L'amour de tout le monde est dans l'air.

★

Ça fait deux heures que j'écoute un poste de radio que j'ai découvert dans ton armoire à linge. Sous de vieux pyjamas. Tu ne jettes rien. Des chemises de nuit, des ceintures, des pièces de monnaie et au milieu de tout cela un poste de radio. Le filage était vieux. Quand je l'ai branché j'étais nerveux, j'étais prêt à reculer d'un bond. Mais les tiges de métal sont entrées sans problème, la connexion s'est faite et, de très loin, le bourdonnement de l'appareil qui se réchauffait s'est élevé dans cette pièce.

Cela fait deux heures que j'écoute. On a parlé d'une crise que j'ai manquée et dont la solution est contestée. Je n'arrivais pas à comprendre. Ce n'était pas clair, on ne me donnait pas l'histoire au complet, et je n'arrivais pas à savoir qui était censé en être le héros. Alors je suis resté pelotonné sur le lit à écouter des voix et puis un peu plus tard l'orchestre de Robichaux a commencé à jouer.

John Robichaux! Il jouait ses valses habituelles. Je ne veux pas l'admettre, mais je prenais plaisir à écouter ces formes claires et nettes. Chaque note faisait partie d'un mouvement plus ample, si bien établi que pour la première fois j'en arrivais à apprécier la possibilité pour l'esprit de devancer les instruments et d'attendre avec plaisir d'être rattrapé. Je n'avais jamais pris conscience d'un tel plaisir mécanique, d'une telle confiance.

As-tu déjà rencontré Robichaux? Moi pas. J'ai toujours détesté tout ce qu'il représentait. Je trouvais qu'il dominait son public. Qu'il imposait à ses émotions un cadre que l'auditoire était obligé de suivre. Mon plaisir ce soir venait de ce que je voulais quelque chose qui ne soit qu'un ustensile. J'avais pris un bain, je m'étais lavé les cheveux et je recherchais le même genre de clarté et de limpidité. Mais je n'y crois pas un seul instant. Toi, tu y crois peut-être, mais ce n'est pas vrai. Quand je jouais dans des parades et que nous descendions la rue du Canal, à chaque intersection les gens n'entendaient qu'un fragment de ce que je jouais à ce moment-là, et la musique s'évanouissait à mesure que je m'éloignais. Ils ne seraient plus là pour entendre la fin des phrases, comme dans les constructions arquées de Robichaux. Je voulais qu'ils puissent arriver où ils le désiraient et partir quand ils en auraient envie, tout en réussissant à entendre les germes du début ainsi que toutes les fins possibles, peu importe où j'en serais rendu dans le morceau que je jouais à ce moment. Comme ta radio, sans début ni fin. Une bonne fin est une porte ouverte, d'où l'on ne peut pas voir trop loin. Il est possible qu'elle signifie exactement le contraire de ce qu'on pense.

Arrêt brusque du poste émetteur. Des voix qui répètent « bonne nuit » plusieurs fois et l'orchestre de fond qui retourne à son bourdonnement initial, là, à quelques pieds de moi dans ta chambre à coucher.

Mes pères sont ceux qui se sont couchés en travers du fil de
fer barbelé. Pour moi. Pour que je puisse glisser jusqu'en
enfer. Par leur sacrifice ils m'ont séduit et m'ont fait entrer
dans le jeu. Ils m'ont montré leurs photographies et ils
m'ont parlé de leurs femmes et ils m'ont parlé d'autres
noms encore plus célèbres partout dans le pays. L'échec de
mes pères. Morts avant d'avoir touché le fil.

    Ils étaient trois. Mutt Carey, Bud Scott, Happy Gal-
loway. Je ne sais pas ce qu'ils m'ont enseigné car les vrais
maîtres n'enseignent jamais la technique. Dans un sens j'ai
appris davantage des joueurs d'instruments à cordes que
de Carey et sa trompette. Ou que de Manuel Hall, qui a
passé les dernières années de sa vie avec sa mère et qui
cachait sa trompette dans le placard et n'y touchait jamais
quand il y avait quelqu'un. C'était un plaisir d'entendre
Galloway faire des bulles en-dessous des autres ou éclater
en glissades et en cris perçants dans des régions qui
n'avaient rien à voir avec les oum-pah-pah des autres. Sa
guitare se rapprochait beaucoup plus de la voix que les
autres instruments. Elle englobait l'atmosphère et pouvait
exprimer trois ou quatre ambiances à la fois; c'était exactement ce que je recherchais. Tandis que la trompette était
ordinairement comme une chaussure d'acier, qu'on ne
pouvait enlever parce que c'était elle qui menait la musique et qu'il y avait une fin qu'il fallait atteindre. La guitare
de Galloway, par contre, représentait tout le reste, tout ce
qui n'avait pas besoin d'être là mais qu'il y plaçait par
grandeur d'âme, pour explorer les hautes herbes incon-
nues. Finalement ce n'est pas une technique que Galloway

111

m'a enseignée, mais plutôt une façon de créer une ambiance sonore que je reconnaîtrais et dont je me souviendrais plus tard. Chaque note, inédite, brute, trouvée au hasard. Jamais répétée. Sa bouche qui bougeait simultanément cherchant à mimer le son, mais en vain car son cerveau n'avait plus le contrôle de ses doigts.

Son miroir, en contrepartie, c'était la trompette de Carey, le technicien — qui glissait en descendant la rivière sans jamais toucher la merde au fond. Ses notes claires et fortes, dont il bombardait les foules, capable d'atteindre toutes les notes qu'il désirait, mais n'allant jamais chercher que les plus pures. C'était du jus d'orange, c'était étudié, tu comprends. Il était comme une roue sous le carrosse d'un roi. Ça c'était de la technique.

On est toujours attiré par son contraire, même dans la musique qu'on joue. La peur nous incite à prendre la direction qui nous ressemble le moins. On va au-delà de sa personnalité et on court après la souffrance. Et puis un jour ils sont morts, peut-être se sont-ils suicidés pour moi ou peut-être ont-ils abandonné parce qu'ils avaient perdu la lèvre, qui sait. Je cherchais à les dépasser, mais ils étaient toujours avec moi dans un sens, puisque toute ma vie j'ai essayé d'éviter de devenir eux. Galloway, qui portait toujours de beaux habits et qui jouait ses bulles de musique avec des orchestres de merde — une telle précision du haut de sa plate-forme, une telle solitude dans sa musique, il ne cherchait à persuader personne d'adopter son style et tous ceux qui l'ont vu l'ont oublié. C'était un homme terne quand il n'était pas sur scène. Il faisait exprès d'avoir l'air encore plus terne, afin d'éloigner les gens. Qui se souvient de lui? Même moi je ne pensais plus à lui. Jusqu'à ce que tu me poses cette question. Il m'est revenu en mémoire aussi fortuitement qu'une odeur. Tous mes ancêtres sont morts soûls ou perdus, mais Galloway, lui, a continué de jouer jusqu'à sa mort, et quand il ne s'est pas présenté on l'a remplacé. À l'âge de soixante-cinq ans il a fait une crise cardiaque en déjeunant et on l'a oublié. Il était tellement impeccable quand il s'est effondré sur sa chaise, que même l'entrepreneur des pompes funèbres a été incapable de faire mieux.

Alors je suppose que j'ai rampé par-dessus lui.

Tandis que Scott, lui, était toujours en train de ruiner sa carrière avec des femmes névrosées.

Quant à Carey, il perdit trop jeune la rigidité de ses lèvres et s'endormit à mort avec l'argent qu'il avait gagné. Nageant d'un bar à l'autre pour entendre de la bonne musique, il s'amusa bien et puis il mourut. Lui aussi était attiré par les contraires, par la musique folle qu'il a choisi d'entendre jusqu'à sa mort; il maudissait les nouvelles expériences, le chaos, mais il refusait de quitter sa table et d'aller ailleurs dans la même rue entendre le jazz figé qu'il avait lui-même créé. Un chien redevenu sauvage dans un pâturage.

Il était aussi mon père par sa façon de venir nous rendre visite à moi et Nora, vers la fin de sa vie. Il n'aimait pas ma musique, il exécrait ma musique, mais il est venu passer à peu près un mois chez nous avant sa mort. Il faisait des avances à Nora qui était enceinte; il se levait tôt le matin en même temps qu'elle, alors que j'étais encore au lit ou dans mon bain. Peut-être même était-il blessé parce que je ne me donnais même pas la peine d'être jaloux et que je prenais mon temps avant de descendre. Nous étions toujours en train de nous quereller, à propos de tout: ma façon de tenir mon cornet ou parce que je poussais des cris pendant les morceaux. Mais il venait quand même tous les soirs, il écoutait, il se mettait en colère et il s'amusait terriblement. Et puis un matin, dans la chambre qu'il partageait avec mon aîné, il resta au lit et se mit à trembler, à trembler sans arrêt, incapable de bouger sauf de ses épaules massives. Il avait les bras morts. Enlevez-moi la sueur des yeux, enlevez-moi la sueur des yeux, nom de dieu, je vais mourir, et il mourut en tremblant. Je me penchai sur son corps mouillé et collai mon oreille contre sa bouche; j'aurais voulu entendre son air à ce moment-là, le tourbillon d'air en lui, mais il n'y en avait pas. Sa bouche ouverte était un coquillage vide. Je me suis tourné lentement et j'ai embrassé ses vieilles lèvres molles. Puis j'ai enjambé le fil de fer barbelé attaché à son cœur.

Le chien noir que j'ai ramassé à quelques milles au sud de chez toi est venu se pelotonner contre moi. Depuis plus d'un mois il n'y a pas une femme qui ait été aussi près de mon corps que lui ce soir. Je me suis levé pour me préparer un verre et quand je suis revenu je l'ai trouvé assis sur le sofa, là où ma chaleur était restée. Des chiens sur tes meubles, Webb. Il est très sale, je vais lui donner un bain demain. C'est surtout de la poussière, mais il a des nœuds de boue sous le ventre — sans doute à force de passer dans l'herbe mouillée du soir. Il n'est pas habitué à vivre dans une maison, je m'en aperçois, même s'il grimpe aussitôt sur les meubles. Il n'est pas habitué à un lit douillet et d'heure en heure, toute la nuit, il passe de la chaise au sofa, pour finalement s'installer sur le plancher. Je suis revenu dans la pièce et il m'a regardé comme s'il s'attendait à ce que je réclame ma place. Je me suis blotti contre sa chaleur. En me penchant, je viens de remarquer que ses griffes ont été arrachées.

La chaleur est revenue s'écraser sur le lac et l'air est vide. On peut sentir l'odeur des arbres de l'autre côté de la baie. Je remarque ce soir que quelqu'un est venu s'installer là. Un carré de lumière est apparu au crépuscule et a changé la ligne douce du profil des arbres, l'horizon est devenu invisible. J'étais contrarié jusqu'à ce que je reconnaisse que je m'étais ennuyé et ça m'a réconforté. Le reste du monde est dans cette pièce, dans ce cabanon derrière la lumière. Tous ceux que je connais vivent là et, quand la lumière est allumée, cela veut dire qu'ils sont là. Avant, au moindre bruissement d'un animal, je croyais que quel-

qu'un arrivait. Même la pluie me faisait penser au crisse-
ment de pneus sur le gravier. Je sortais en courant, mon
cœur battant la chamade, et je me retrouvais sous une
ondée. Je restais là tremblant, jusqu'à ce que je sois tout
mouillé. Puis je rentrais, je me déshabillais complètement
et je me couchais en boule devant l'âtre.

Webb, j'en ai assez de tout ce bordel ce soir. La
solitude. En fait, je voulais parler de mes amis. Nora et
Pickett et moi. Robin et Jaelin et moi. C'est terrible ce qui
s'est passé entre nous. Je me suis aperçu que la passion
pouvait se retourner et choisir quelqu'un d'autre, sans
raison. Nora m'aimait, je le savais, et puis tout à coup à
partir d'un certain jour elle n'avait d'yeux que pour la
bouche et le silence de Pickett. Je ne pouvais rien y faire.
Pickett n'avait qu'à être là, le cœur de Nora était à la merci
de sa langue. Et dans notre cas à Robin et à moi — Jaelin
avait beau être beaucoup plus intelligent, plus sensible,
plus affectueux et plus affligé que moi, ça ne faisait rien,
elle s'était tournée vers moi comme une boussole déréglée
qui n'indiquerait plus que l'est toujours l'est, sans tenir
compte de rien d'autre. Je savais que je faisais de la peine à
Jaelin, mais je la baisais quand même et parfois je l'humi-
liais devant lui, tout. Nos vies n'étaient que désordre. Je ne
cherchais pas à contrôler le monde de ma musique, parce
que je n'avais aucun pouvoir ni sur mon entourage, ni sur
mon corps, ni sur mon esprit. Ma femme était en amour
avec Pickett. Moi, j'étais en amour avec Robin Brewitt, je
crois. Nous étions tous à bout de forces.

★

Dès la première nuit j'étais perdu, sans Robin.

J'avais le rhume et ma toux m'avait réveillé. Je me promenais dans ta maison en buvant un punch à base d'eau chaude, de jus de pamplemousse et de Raleigh Rye. C'était la première nuit, il y a quatre semaines. Aujourd'hui encore j'évite de manger, pour avoir faim. Soûl et affamé, au beau milieu de la nuit, en ce lieu que tes meubles et les murmures de ma voix remplissent. Robin qui est perdue. Qui m'a glissé du cœur. Qui est devenue aussi anonyme qu'un nuage. Je me réveille avec des érections en souvenir de Robin. Tous les matins. Jusqu'à ce qu'elle ait commencé à se confondre avec Nora et avec toutes les autres.

Que veux-tu savoir sur moi, Webb? Je suis seul. Je désire toutes les femmes dont je me souviens. Tout est clair ici, pourtant j'ai l'impression que mon cerveau est à côté de moi et qu'il me surveille. J'ai l'impression de flotter au-dessus des objets dans cette maison, au-dessus de tous les gens qui peuplent ma mémoire — comme les saints des images dans l'église de ma mère, qui semblent toujours être à quinze ou vingt centimètres au-dessus du sol. Qui font semblant d'être des humains. Tous les matins, je prends vingt minutes pour me faire un rasage impeccable. Je me frictionne à la lotion et je me prépare un petit déjeuner prodigieux. Le seul repas de la journée. Je passe donc de l'énergie du matin à des nuits d'alcool, de faim, de brouillard et de lassitude. J'essaie de surmonter ce terrible et stupide sentiment de clarté.

117

Après le petit déjeuner je m'entraîne. La bouche, les lèvres et la respiration. Des exercices. Des gammes. Pendant des heures, jusqu'à en avoir mal aux mâchoires et au ventre. Mais aucune musique ni aucun air que j'aurais envie de jouer. Rien que les notes, comprends-tu ça? Comme quelqu'un qui s'entraîne pour le départ du cent mètres et qui s'arrête après trois mètres pour recommencer à la ligne de départ. De cette façon les notes jaillissent par saccades.

Seul maintenant depuis trois semaines, quatre semaines? Depuis que tu es venu à Shell Beach et que tu m'as retrouvé. Tu m'as dit: « Reviens. » Toute cette musique. Je ne veux plus jouer de cette façon. J'ai découvert un autre sentier que je suis en train de débroussailler avec mes exercices pour pouvoir un jour m'y promener avec la certitude de marcher sur du solide. Comme je n'ai personne à qui parler, je deviens plus théorique. Tous les suicides, tous les actes intimes sont romantiques, selon toi, tu as peut-être raison, c'est ce que je me dis, assis ici à cinq heures moins le quart, en pleine nuit; le ciel commence à poindre bleu dans le noir des grandes fenêtres de ta maison. Tiens, voici une fourmi matinale qui traverse la table...

Il y a trois jours Crawley est venu me rendre visite. Je t'avais fait promettre de ne pas dire où j'étais, mais tu l'as envoyé ici quand même. Il est venu en voiture, il a interrompu ma réflexion et il m'a fallu deux jours pour m'y remettre. Il est venu avec une de ses admiratrices, et il m'a joué de la musique sur laquelle il est en train de travailler; elle était silencieuse et touchante dans son coin. Je me serais passé de sa musique, je me serais contenté de son corps à elle. La musique était assez bonne, mais j'aurais pu la terminer pour lui, c'était du déjà vu. J'avais envie de me quereller. Je regardais la fille pendant qu'il jouait et j'aurais voulu avoir mon instrument sous sa jupe. J'aurais voulu qu'elle s'assoie sur ma bitte et l'enveloppe avec sa jupe comme un bandage. La poulette de mon vieil ami. À quoi m'as-tu donc ramené, Webb?

La journée s'améliorait à mesure qu'on débouchait des bouteilles et nous étions tous vaguement ivres lorsqu'ils sont partis. Je me suis mis à parler de choses et d'autres au moment où ils s'apprêtaient à partir; penché sur la vitre du conducteur en train de m'excuser, d'expliquer ce que je voulais faire. Je leur ai parlé de la pièce vide quand je me lève et que je me colle la bouche sur du métal et que je lâche un couac juste à la bonne note, pour me mettre au diapason de la pièce, pas plus compliqué que ça. Je leur envoyais tout ça dans l'auto comme s'il ne nous restait plus qu'une minute à vivre, comme si nous n'avions pas passé la journée à dire des niaiseries.

Si tu commences à jouer comme ça, il n'y a pas un orchestre qui va vouloir jouer avec toi, qu'il m'a dit. Je sais. Je voudrais qu'on se parle comme il faut, mais je suis soûl et je rends les choses difficiles.

Je suis là en train de crier dans son auto, debout dans l'entrée recouverte de cailloux, couvert de sueur; en fait c'est l'alcool qui me sort par les pores de la peau. Je leur ai dit que je ne voulais pas être un résidu, une échelle pour les autres. Crawley en connaisseur opinait de la tête. Je lui demande des nouvelles de Nora, il me dit qu'elle vit avec Cornish. Et moi qui avais toujours cru qu'elle était la malheureuse Nora, avec mes enfants; toute la tendresse de l'émotion familiale, que j'avais oublié de faire éclater; les gosses qui se passent de moi pour grandir; sueur d'ivresse; moment de réflexion le long d'un sentier de pierres. Je suis terrifié maintenant à l'idée d'avoir perdu leur amour. Je fais le tour de la voiture, je me passe la tête à l'intérieur pour embrasser l'amie de Crawley, dont je ne me souviens même plus du nom, ma langue dans sa bouche fraîche, elle répond par une silencieuse caresse circulaire qui me donne une érection contre la portière de la voiture et je le remercie pour les bouteilles qu'il a apportées. Son cerveau est resté avec moi pendant les deux jours qui ont suivi.

De la sueur d'alcool sur ces pages. Je suis fatigué, Webb. Je pose mon front sur le cahier pour me reposer. Je ne veux plus me relever. Quand je lèverai la tête, le papier sera humide, il y aura une tache d'encre. Le lac et le ciel seront bleu pâle. Sans même son nuage à elle.

3

Journaliste: Pour en revenir à Buddy Bolden —
John Joseph: Oui, oui.

Journaliste: J'ai entendu dire qu'il avait perdu la raison.
John Joseph: Oui, il a perdu la raison, il est mort dans une maison de fous.

Journaliste: Oui, c'est ce que j'ai entendu dire.
John Joseph: C'est bien ça, c'est là qu'il est mort.

On reprend la route. On rentre au cauchemar.

La terre brune. Je me frotte le cerveau contre la vitre froide de l'autocar. Parti quand ma carrière flambait, je rentre maintenant sur mon élan.

Viens. Il nous faut descendre encore plus bas, au-delà de la justice au-delà du rire.

Toute ma vie j'ai été comme un colis dans un autocar. Je suis le célèbre baiseur. Je suis le célèbre barbier. Je suis le célèbre cornettiste. Lisez les étiquettes. Les étiquettes rentrent à la maison.

LE BLUES DE BUDDY BOLDEN

*

Charlie Dablayes Brass Band

The Diamond Stone Brass Band

The Old Columbis Brass Band

Frank Welch Brass Band

The Old Excelsior Brass Band

The Algiers and Pacific Brass Band

Kid Allen's Father's Brass Band

George McCullon's Brass Band

Et autant de fanfares sans nom, qui jouaient dans la rue... selon Bunk Johnson.

C'est donc en pleine parade qu'il a sombré dans le silence et la folie.

C'était en avril 1907, après son retour, après être resté avec sa femme et Cornish, après avoir dit que *bien sûr* il allait jouer à nouveau, qu'il avait vu Henry Allen, qu'il lui avait parlé et qu'il jouerait avec son orchestre dans la parade du week-end. « Henry Allen Senior's Brass Band. »

La musique commence deux rues au nord de la rue Marais à midi. Tous les musiciens de l'orchestre d'Henry Allen, y compris Bolden, tournent dans la rue Iberville qu'ils suivent vers le sud. Après environ un demi-mille sa musique se détache de l'orchestre, et bien que l'ensemble du défilé garde son homogénéité Bolden est maintenant marqué, inapprochable, important, comme une boucle numéro 8 au milieu des autres joueurs. À l'intersection des rues Liberty et Iberville, il se met à tournoyer comme un fou.

Dès onze heures ce matin-là la foule, qui avait entendu dire que Bolden allait jouer, s'était rassemblée, et s'étendait de la rue Villière jusqu'à la rue Franklin. Les gens avaient amené des collations, des flacons d'étain et des enfants. Certains orchestres avaient annulé des engagements, certains étaient revenus de villes situées à plus de 60 milles de là. Tout ce qu'ils savaient c'était que Bolden était revenu et qu'il avait l'air en forme. Il était en ville quatre jours avant la parade.

Il était revenu mardi soir en autocar, de chez Webb. Avec un petit sac contenant son cornet et quelques vêtements. Comme il n'avait pas d'argent il marcha vingt-cinq rues pour se rendre au 2527, rue First, où il vivait avant son départ. Il frappa à la porte et Cornish lui ouvrit. Figé. Cela faisait à peine deux mois que Cornish était venu vivre avec la femme de Bolden. Proche de l'évanouissement. Buddy prit Cornish par la taille et le serra dans ses bras, puis il passa devant lui, entra dans le salon et s'effondra dans un fauteuil, épuisé. Sa marche, la tension d'une rencontre possible en chemin l'avaient bien fatigué. Trop chaud en ville après avoir vécu au lac. En s'assoyant, le sac lui glissa des doigts.

Où est Nora?
Partie chercher à manger. Elle sera là dans deux minutes.
Bon.
Bon dieu, Buddy. Presque deux ans, on pensait...
Non, ça fait rien, Willy, je m'en fous.

Il restait là, assis, sans regarder Cornish, les yeux au plafond, les mains ouvertes, les coudes appuyés sur les bras du fauteuil. Un long silence. Cornish pensa: « Je ne suis jamais resté aussi longtemps avec lui sans parler. » On ne voyait jamais Bolden réfléchir, c'est ce qu'on disait souvent. Mais il réfléchissait en bougeant. Toujours des paroles, des bouts de chansons, comme si son cerveau était un bocal à poissons.

Je vais aller la chercher.
C'est ça, Willy.

Willy s'assit sur les marches et attendit Nora. Quand elle arriva il l'invita à s'asseoir à côté de lui.

J'ai pas le temps, Willy, entrons.

Il la tira vers lui et l'enlaça pour être le plus près d'elle possible.

Écoute, il est revenu. Buddy est revenu.

Tout le corps de Nora se détendit.

Où est-il?
À l'intérieur. Dans son fauteuil.
Viens, entrons.
Veux-tu y aller seule?
Non, entrons tous les deux, Willy.

Elle n'avait jamais été l'ombre de personne. Avant leur mariage, quand elle travaillait chez Lula White, elle était populaire et célèbre. Elle savait jouer le jeu avec Bolden, elle connaissait ses excès sexuels. Même s'ils étaient seuls ensemble, la pièce était pleine à craquer. Il la fascinait. Elle savait couper court à ses arguments et réussissait parfois à mettre de l'ordre dans le chaos qu'il avait fait sien. Et voilà qu'elle entrait avec Willy qui la tenait par la main. Elle le vit assis, la tête en arrière, mais les yeux tournés vers la porte qui s'ouvrait. Bolden complètement immobile et elle, avec son sac d'épicerie sous le bras, immobile elle aussi.

Tous trois entamèrent calmement une longue conversation. On aurait dit un couple en compagnie d'une tierce personne qui leur avait servi à la fois de catalyseur et d'auditoire. Nora était étendue sur le plancher et Buddy regardait ses larges hanches, la montagne de tissu; il entra sous ses vêtements comme un voleur, sans un mot, suivant un rituel qu'ils avaient établi ensemble depuis des années, en y mettant quand même un peu de fantaisie aujourd'hui, mais pas trop. Assis contre elle, il déboutonna les couches successives de tissu pour dévoiler ce corps sombre et doré et se pencha pour sentir la peau, il touchait de son visage les os ensevelis sous la chair dans cette poitrine. Sa figure écrasée contre les petits seins. Elle avait encore sa jupe, sa blouse n'était pas enlevée, simplement ouverte, et de ses joues rugueuses il lui raclait la peau, sans s'approcher de son visage qu'il avait exploré à fond de l'autre bout de la pièce, tantôt. Alors que Cornish était encore là.

Ils restaient allongés là sans rien dire. Il promenait sa bouche partout sur sa poitrine ses bras ses aisselles, comme s'il plaçait des mines sur elle, puis il se redressa et contempla ce corps luisant de salive. Ensemble ils replièrent sa jupe, ils glissèrent les boutons dans les boutonnières et la rhabillèrent. Sans aller plus loin, parce que c'était une amitié qu'il fallait préserver, une amitié qu'ils voulaient tous les deux. Même le diamant doit aimer la terre qu'il traverse, l'histoire de l'autre dans ses moindres détails, car le diamant est lui aussi issu de la terre.

Ainsi Cornish habite avec elle. Willy, celui qui voulait toujours qu'on le laisse tranquille mais qui était devenu le médecin de famille, qui soignait les bobos de tout le monde. Ce cher William. Ce n'était pas une merveille au trombone à pistons, mais comme il était le seul à pouvoir lire la musique il nous ramenait du nord de nouveaux airs, que nous prenions immédiatement plaisir à corrompre et à adapter à notre propre style. Willy, aussi droit qu'une bonne clôture toute sa vie, je n'ai jamais rencontré quelqu'un d'aussi vertueux que lui. Depuis que je suis revenu à la maison, je les observe lui et Nora dans la pièce. L'air autour d'eux est vide, de sorte que je les vois clairement. Ils ne sont plus pour moi dans un décor, ce n'est pas comme s'ils marchaient dans la rue, les chaises disparaissent sous eux! Ils sont complets, ils sont vrais et ils sont définitifs. Ils ont cessé de changer sous mes yeux d'une seconde à l'autre, ils sont maintenant comme des statues de personnages célèbres. À travers mon œil unidimensionnel. J'ai laissé mon autre œil dans l'autre maison, Robin s'est envolée avec lui, dans son nuage. Ainsi, Willy et Nora m'apparaissent comme ils sont et seront toujours. Comme je voudrais être aussi stable qu'eux, attaché à cette chaise par le cerveau. Enfermé dans le cadre, réduit à l'amour et à la colère comme une dynamo qui ne peut tourner que sur elle-même.

J'avais voulu être le réservoir où se seraient abreuvés les moteurs et les gens, être une musique de sang et de sperme qui coule et reste accrochée aux oreilles. À la façon des fleurs qui sont immobiles et nourrissent les abeilles. Et nous empruntions aussi aux autres de la même façon, une musique qui n'était rien avant que Mumford, Lewis, Johnson et moi ne nous mettions à la jouer avec Cornish; au risque d'exaspérer ce dernier parce que nous ne le laissions même pas finir sa chanson avant de la transformer en y injectant notre sang. Cornish qui jouait toujours la même note de la même façon, il était notre cadre, notre tremplin, celui que nous avions sacrifié pour qu'il demeure un métronome négligé.

Alors, comme c'est Willy que j'ai vu en premier quand je suis revenu, j'ai fait semblant de regarder par ses yeux, les yeux que Nora voulait que j'aie. Tout le monde disait que j'avais changé. Comme si on pouvait flotter dans l'éther. Ils voudraient que rien n'ait changé. Inconscients de l'hameçon suspendu devant eux. Il y a quelques années je me serais assis et j'aurais élaboré une théorie pour expliquer pourquoi c'était Cornish qui était venu habiter avec elle, pourquoi c'était Cornish qu'elle avait accepté, j'aurais élaboré une explication et j'aurais choisi jusqu'au caractère typographique pour l'imprimer. *Le Criquet.* Mais j'ai fini de chier toutes ces belles théories.

Tout y avait tellement de sens. J'ai passé l'après-midi à feuilleter plus de quatre mois de parutions du *Criquet.* Nora avait gardé tous les anciens numéros dans le placard de la chambre à coucher et comme elle était sortie et que les enfants étaient restés mais qu'ils n'osaient pas s'approcher trop près de crainte de me déranger (probablement parce que Nora les avait avertis — pourquoi ne me déteste-t-elle plus? Pourquoi les gens oublient-ils la haine si facilement?), j'en ai lu pour quatre mois. Septembre, octobre, novembre et décembre 1902. On n'y parlait pas des changements de température, mais c'était rempli d'anecdotes où des enfants et des femmes changeaient de main comme de la monnaie ou comme une cigarette qui fait le tour de la pièce à la hauteur des lèvres. On s'y disputait des corps, avec les enfants à l'arrière-plan, comme des meubles.

J'ai tout lu. Je suis rentré dans le passé. Toutes les complexités auxquelles j'avais travaillé. Combien de sexe, combien d'argent, combien de souffrance, combien de sueur, combien de bonheur. Des histoires de sexe en bateau, où des blancs jetaient des putains par-dessus bord pour qu'elles nagent jusqu'au rivage avec leur charge de sperme, des histoires d'affection canine, ma rencontre avec Nora, notre mariage, notre rivalité pour nous surprendre l'un l'autre avec des amants ou des maîtresses. *Le Criquet* était aussi un journal intime pour moi, et pour tous les autres. On y parlait aussi de joueurs professionnels qui allaient jouer dans la haute société pour y ramasser des femmes, l'irrésistible carré d'as. Quatre mois de noms qui déferlaient maintenant comme des vagues à travers la fenêtre. C'est probablement cette folie-là que j'avais quittée. Des bruits de Criquet et de la musique de Criquet, vus par des gens plus grands que nous, c'est tout ce que nous sommes.

Puis Webb est venu me tirer d'un autre abîme, j'étais tout nu. J'étais devenu brillant, tranchant et froid, par manque de lumière. Mes lèvres s'étaient transformées en métal.

Deuxième jour

Le lendemain à l'heure du petit déjeuner, Cornish n'était toujours pas revenu, alors Buddy accompagna les enfants jusqu'à l'école; il était tranquille mais il réussit à les faire parler. De nombreux amis de ses enfants vinrent bientôt se joindre à eux le long du chemin. C'était à leur tour maintenant d'entamer les conversations; il disait son mot de temps à autre, mais ce groupe turbulent qui riait en courant vers le fleuve employait des codes et un niveau de langage qui lui étaient interdits. Les mains dans les poches, il déambulait à côté d'eux, ses deux enfants restaient respectueusement à ses côtés.

Hé! Jace — c'est mon papa.
Ah oui? Salut.

En atteignant la berge, il les impressionna tous en donnant coup sur coup la bonne réponse à trois histoires grivoises compliquées. Des devinettes qu'il connaissait depuis des années. Il se creusa la tête pour trouver d'autres blagues qu'il savait qu'ils apprécieraient et qui effectivement se répandirent comme la variole à l'école.

Stanley, quel est ce petit bout de papier que tu fais circuler — apporte-le moi.
C'est une question, Mademoiselle.
Donne.

Bout de papier remis en silence, il retourne à son pupitre sur la pointe des pieds.

Voyons voir... Quelle est la différance, différence s'écrit avec un "e", Stanley, pas un "a", quelle est la différence entre une alpiniste et une Juive? Alors, Stanley? Debout. Quelle est la différence?

J'aimerais mieux ne pas le dire, Mademoiselle.

Allons, allons, tu sais bien que j'aime les devinettes.

Vous êtes sûre, Mademoiselle?

Certainement. Du moment que c'est un bon mot d'esprit.

Ah, oui, c'est un bon mot d'esprit, Mademoiselle, c'est le père de Charles qui nous l'a raconté.

Alors vas-y.

Eh ben, l'alpiniste se tient sur la berge du ravin et la Juive se tient sur la verge du rab-

STANNNNLLLLLEEEEEEEEEEY!

Lorsqu'ils arrivèrent à l'école, Bolden était devenu un héros. Il fouillait dans ses souvenirs en quête de jeux de mots et d'histoires drôles. En apprenant qui étaient leurs professeurs, il ranima de vieilles rumeurs à leur sujet. Il suggérait différentes ruses pour exaspérer le professeur et le faire sortir de la classe, différentes façons de faire croire qu'on a de la fièvre, pour éviter d'aller à l'école. En approchant de l'école, les enfants se mirent à courir pour être les premiers à arriver dans la cour avec ce bagage de nouvelles blagues. Il passa ses doigts dans les cheveux de son fils, embrassa sa fille et rentra chez lui à pied. Il évita les quartiers qu'il connaissait le long de la rue du Canal. Finalement il piqua par le quartier chinois et demanda des nouvelles de Pickett. Personne n'avait entendu parler de lui, personne.

Un gars avec des cicatrices sur la joue, sur la joue droite.

On lui indiqua le Roi des mouches.

Il était donc rentré chez lui quatre jours avant la parade. Le premier soir avec Nora et Willy Cornish. La première nuit avec Nora. Le lendemain en matinée avec les enfants, un peu plus tard en matinée (peut-être) avec Pickett. Pickett ne devait pas être si difficile à trouver. Il avait jadis exercé pas mal de pouvoir. Il avait sa chambre rue Wilson. Mais le quartier chinois était un terrible dédale.

Bellocq s'y était pourtant déjà rendu, pour photographier les fumeries d'opium; chaque cliché rempli de couchettes provenant des wagons-lits de trains abandonnés; ses photos baignent dans une lumière grise, sans doute à cause du reflet jaune des boiseries vernies. Des cocons de silence jaune et dehors les rues au tracé compliqué comme les circonvolutions des veines de la main. Deux squares entre les rues Basin et Rampart et entre Tulane et du Canal où Bellocq s'était promené, sans jamais se perdre, et où il avait pris ses photographies.

De sorte que Bolden y avait probablement déjà été, avec lui.

Deuxième soir

Je me fais ma propre parade tout seul. Je me rends jusqu'à la rue Gravier, au nord, passé le quartier chinois, puis je coupe jusqu'à la rue Canal près de la rue Clairborne. Au bord de l'eau. Le brouillard est venu affaler ses voiles sur la berge comme un voilier. Les autres promeneurs disparaissent dans le blanc. Les putains à matelas sont descendus de leur perchoir habituel pour éviter de disparaître dans le brouillard. Elles marchent de long en large, sans arrêt comme des sentinelles, pour faire voir qu'elles n'ont pas les chevilles brisées comme celles qui se tiennent immobiles pour dissimuler leur difformité. Vingt-cinq cents la baise. Le brouillard leur vient en aide ce soir. Normalement à cette heure les souteneurs vont à la chasse aux putains à matelas, avec des bâtons. Quand ils en attrapent une, ils lui brisent les chevilles. Des femmes accablées par la vérole, des résidus de la belle vie de la belle époque de Storyville à l'amour insatiable, des femmes qui, quand elles sont finies dans ce quartier, volent leur matelas et se l'accrochent sur le dos avec une courroie; elles apprennent à courir vite dès qu'elles aperçoivent un groupe d'hommes armés de bâtons. Sinon elles posent le matelas sur le sol et prennent les hommes comme ça, sur le trottoir sombre, les gros, les pauvres, les sadiques qui le plus souvent leur pissent dans le ventre parce que les maladies qu'elles transportent leur ont défoncé le con; elles acceptent tout du moment qu'elles ont la pièce de vingt-cinq cents dans la main.

Ainsi leur vie est devenue simple, puisque tous les gens riches et en bonne santé leur paraissent maintenant dangereux, et elles s'enfuient automatiquement à leur approche. Celles qui peuvent courir. Les autres, celles qui se fichent de savoir qui arrive, laissent tomber leur matelas et s'y étendent en retroussant leur jupe et en écartant les jambes sans même enlever leurs bas. Si c'est un souteneur, il se contentera de vérifier si elle a bien les pieds enflés pour qu'elle ne puisse pas revenir en cachette à Storyville. Des femmes brisées, tellement ravagées qu'elles se servent de la bitte en elle pour se gratter. Les femmes aux « pattes de canard », comme on les appelle. Celles qui n'ont pas encore été attrapées trimbalent leur maladie comme des filles modestes au milieu des pierres et des hauts-fonds du fleuve, là où les souteneurs avec leurs beaux souliers n'oseront pas les suivre. Mais celles qui sont estropiées vous lancent leur gros pied à la vue, leur immunisation contre les coups de bâton qui leur ont déjà fait enfler les pieds et qui leur ont donné une démarche de boiteuse, « pattes de canard, pattes de canard ».

Pour elles c'est une bonne soirée. Elles se tiennent comme des anges gris en bordure du brouillard et n'ont qu'à reculer pour devenir invisibles dès qu'elles entendent le pas rapide d'un riche. Comme le mien. Mon dieu, même mon pas à moi, dont le cerveau ne vaut guère mieux que leurs corps, lamentables au point qu'elles ne peuvent même plus se payer le luxe de se plaindre, elles se contentent d'avoir peur. Quant à mon cerveau, atrophié et plongé dans la musique que j'évite, il ressemble à du lait qui déborde et tourne en fromage. Toute cette masturbation de répétition tous les matins, pour ensuite refuser de jouer, ressemble à ces « pattes de canard » qui voudraient bien jouer mais que vos lois de riches font reculer au bord de l'eau à coups de bâton. Bellocq m'a montré des photos qu'il avait prises d'elles il y a longtemps, il pleurait, il a brûlé les épreuves. Les hanches enflées, perdant leurs cheveux, les paupières raides et mortes, certaines s'étaient griffé les hanches jusqu'aux os. On entendait les râles. Ce cher petit Bellocq, dire qu'il est mort maintenant. Ce soir mon cerveau a un matelas attaché sur le dos.

Même avec moi elles reculent dans le blanc. Elles s'éloignent de moi et me regardent passer; les mains dans les poches de mon manteau à cause du froid. Leurs corps assassinés et mon cerveau suicidé. Un cerveau endormi dont le bulbe est devenu fou. Le fœtus que nous avons rejeté, la carrière que nous avons chassée dans son cercueil, par les toilettes, jusque dans le port. Le résultat de la ville. Qui finira par s'écraser sur les bateaux en partance pour la mer. J'enjambe les petits tas de fumier laissés par les putains à pattes de canard, elles ne mangent pas beaucoup, ce qu'elles obtiennent en mendiant ou ce qu'elles réussissent à glaner dans les jeunes herbes le long de la berge. Du sel dans les poches. Une réserve d'énergie. Il n'y a rien d'horrible dans leur façon de mener leur vie.

Troisième jour et troisième soir

Depuis qu'il était rentré chez lui il n'y avait que son visage qui riait des blagues. Il se refusait à reprendre les histoires pour les amplifier comme il le faisait auparavant. Ils s'en aperçurent, ceux qui l'avaient connu avant.

Il y en avait de plus jeunes maintenant, qui avaient entendu parler de lui et qui auraient voulu le raviver, mais il détournait aisément la conversation sur eux et sur leur vie. Peut-être devinrent-ils en fin de compte les catalyseurs. Peut-être. Quoi qu'il en soit ils entendaient petit à petit parler de son retour et venaient porter des bouteilles de Raleigh Rye qu'ils laissaient sur le seuil de la porte. Bolden se contentait de sourire et d'apporter les bouteilles à Nora dans la cuisine, sans toutefois toucher le bouchon, sans boire, sans même avoir le goût de boire, désormais. Il se contentait de parler doucement et lentement avec Nora, il la regardait préparer les repas, assis dans la cuisine avec elle comme si elle avait été une sœur qu'il n'avait plus revue depuis l'enfance. Et il dormait beaucoup.

Le troisième jour ses vieux amis vinrent lui rendre visite, l'entretenant d'abord timidement puis trop bruyamment et lui contant le genre d'anecdotes que jadis il aimait entendre, des histoires qu'il pouvait maintenant prédire. Il était là, assis, et il n'y avait que son visage qui riait des blagues. C'était comme de sortir d'un désert pour entrer dans un terrain de jeu plein d'écoliers. Personne ne fit allusion à Pickett jusqu'à ce qu'il en parle, lui, et alors il y eut un silence et Bolden éclata de rire pour la première fois. Ils étaient tous là à regarder Buddy, à l'affût d'un changement d'expression ou du moindre nerf qui aurait bougé sur son visage.

Non, ces visiteurs-là ne l'avaient pas trop importuné. Il aimait s'imaginer Pickett courant dans la rue, portant ses cicatrices comme un chien mourant. Il se rappelait encore du métal de la lanière de cuir qui touche la glace et ils sont là tous les deux à regarder le miroir tomber, comme un drap en lambeaux, dans le lavabo. Non c'est Nora qui en avait souffert le plus, tous ces gens qui revenaient à la maison pour le regarder. L'esprit de Buddy glissait sur eux. Elle s'apercevait qu'il n'était même pas dans la pièce, le seul muscle qui bougeait, c'était le clin d'œil qu'il lui faisait quand une histoire achevait. Elle voyait qu'il se préparait à esquisser son foutu sourire en coin. Elle aurait voulu les ramasser tous et les mettre à la porte. Au diable son air satisfait. Buddy. Il savait ce qu'il lui devait et qu'il ne lui avait pas donné.

Ce soir-là Willy Cornish sortit de nouveau. Buddy était allé faire un tour à pied et il rentra à dix heures. Il était passé minuit quand il décida d'aller se coucher. L'un des petits poussa un cri et sans y penser il entra dans leur chambre et s'étendit au bord du lit le bras autour de l'enfant. Un geste du passé. Charles junior, qui était probablement trop vieux pour cela. Il avait crié dans son sommeil et ne s'était même pas réveillé, il se contenta de se blottir contre le corps de son père. Cornish faisait-il de même?

Il s'endormit, les doigts posés sur l'épine dorsale de son fils, sous le pyjama. À peu près une heure plus tard il se réveilla. Quand il comprit où il était, il enleva son veston et s'étendit dans la vieille chemise de flanelle que Nora lui avait dénichée. Alors il entendit Nora qui l'appelait, « Buddy », près de lui et il l'aperçut, assise sur le lit de Bernadine, penchée en avant. Il se leva et s'approcha d'elle.

Ça va?

Elle secoua la tête lentement.

Willy est-il là?

Non. Il ne reviendra pas de la nuit, Buddy.

Il doit être tard.

Une heure et demie. Je ne sais pas.

Il posa sa main sur le côté du visage de Nora, près de l'oreille.

Parle, Buddy. S'il te plaît.

Il l'aide à se lever du lit et la conduit dans le salon, son bras rouge posé sur l'épaule de sa femme.

Elle est sur le sofa, il est dans le fauteuil. Elle se remonte les genoux et s'appuie le menton dessus. Elle regarde fixement le plancher entre eux.

Je t'aime encore, Buddy... ça me fait de la peine. Ce n'est plus comme avant, parce que je ne te connais plus, mais je pense encore à toi. Je t'aime comme si tu n'étais pas mon mari. Toute cette histoire, ça me fait de la peine... j'ai encore plus de peine pour William. Mon Dieu que cette chemise rouge te va bien, tu es tellement beau, en fait tu as l'air de... c'est fou mais c'est tout ce que je peux penser... tu as l'air de ma chemise préférée, celle que j'avais perdue.

Ils pouffèrent de rire et bientôt s'esclaffent tous les deux.

Arrête, Bolden, elle renifle son dernier rire, on devrait parler sérieusement.

Sa bouche sur l'oreille de sa femme. Il sent les mains de sa femme entre leurs deux corps, en train de déboutonner le devant de sa robe. Ses mains à lui en attente avant de s'enfoncer dans la caverne de la robe entrouverte, pour la ceinturer et aller toucher son dos, puis revenir en glissant couvrir les seins de sa femme. Ses doigts reconnaissent les mamelons, la cicatrice de l'appendicectomie. Il s'étend sur le dos et pose sa tête sur ses cuisses. Levant les yeux. La bouche de sa femme s'abat sur lui comme un refuge.

Avec Bellocq dans la rue.

Il s'en allait le présenter à des putains. Mais je ne veux pas que tu sois là quand je vais le faire. O.K. O.K. Parce que sans ça, on retourne chez nous. Il avait peur de la présence de Bolden pour la première fois. Il chancelait à côté de Buddy avec son appareil-photo. Tu es sûr? Je ne veux tout simplement pas que tu restes là, contente-toi de me présenter et de leur expliquer ce que je veux. Je sais, Bellocq, je sais. Oui, mais en tout cas, tu sais ce que je veux dire.

Il hissa Bellocq sur les marches, le photographe avec son appareil attaché dans le dos comme un arc. Il avait si souvent vu son ami accoutré ainsi qu'il ne pouvait plus imaginer sa silhouette sans son appareil et le trépied. Cela faisait partie de sa structure osseuse. Un animal en métal qui lui avait poussé sur le dos. Il le tira sur les marches et lui fit passer la porte. Il faut que tu escalades cet escalier, mon vieux. Bellocq déjà épuisé se mit à grimper en compagnie de Bolden. Tu as vu le papier peint, dis, il riait en montant le long de l'étroit tapis qui menait au paradis des corps. Sa main libre effleurait le relief du papier bleu gaufré. Il vit une photographie d'une fille assise adossée au mur, seule dans l'escalier, personne autour. Peut-être une assiette avec de la nourriture. Le papier peint ressortirait gris pâle. Un étage, et puis un autre, il commençait à avoir mal aux jambes. C'est pas une blague, hein, mon vieux? Non. Encore un et on y est.

Laisse-moi entrer et lui parler en premier. Juste une? Je croyais que j'allais les rencontrer toutes. Oui, oui, mais je veux seulement parler à Nora en premier, O.K.

Il laissa Bellocq dehors sur la dernière marche, à reprendre son souffle tout en enlevant soigneusement la courroie de son appareil-photo. Écoute, j'ai un ami qui veut photographier les filles. C'est le même prix qu'une baise, tu le sais, Buddy. O.K. mais je veux d'abord te parler de lui. Appelle donc les autres, je ne veux pas avoir à répéter. Il ne savait pas trop comment leur expliquer cela. Il n'était pas trop sûr de comprendre lui-même ce que Bellocq voulait faire. Écoutez, ce gars-là, c'est un photographe, il photographie des navires — éclat de rire — et pour son usage personnel, rien de commercial, il veut prendre des photos des filles. Je ne sais pas comment il veut que vous soyez sur les photos, mais il veut des photos. C'est rien de commercial, O.K. C'est pas un détraqué, hein? Non, il a juste le corps un peu tordu, il a quelque chose aux jambes. Personne ne voulait. S'il vous plaît, allez, je lui ai promis, écoutez je lui ai même dit que ce serait gratis cette fois-ci, c'est une faveur, il m'a rendu quelques services, voyez-vous. Tu vas être là, Charlie? Non, je ne peux pas, il veut pas. Deux des filles sortirent en disant qu'elles retournaient se coucher. Écoutez, il a un bon travail, c'est vrai qu'il photographie des navires et toutes sortes de choses pour des brochures. C'est un bon gars, c'est pas un flic, l'idée lui était soudainement venue que c'était peut-être ce qu'elles craignaient. C'est un homme très doux. Personne ne voulait de Bellocq et d'autres filles partirent. Je suis prêt à te faire une passe gratuite n'importe quand, Charlie, mais pas ça. Elles s'en allèrent toutes et Nora haussa les épaules en voulant dire: « Je regrette. » C'est le matin, Charlie, elles ont toutes veillé très tard chez Anderson hier soir. J'ai fait ce que j'ai pu, je les ai fait venir. Et puis elles vous ont vus arriver tous les deux. D'ici il avait l'air de quelque chose qui s'est fait écrasé par un cheval.

Écoute, Nora, il faut que tu fasses ça pour moi. Laisse-le prendre quelques photos de toi. Pour une fois seulement, pour montrer aux autres que c'est O.K., je te promets que ça va être O.K. Elle était dans la cuisinette et cherchait une allumette pour allumer le gaz. Il s'approcha, en trouva une dans sa poche et alluma le rond qui sifflait, les flammes bleues jaillirent comme quelque chose d'invisible qui aurait trouvé une forme. Il la laissa remplir la bouilloire et la mettre au feu. Puis il se colla contre son dos et appuya son visage contre son épaule. Il avait le nez sur la bretelle de sa robe. Viens dans le hall avec moi et tu pourras le rencontrer. Offre-lui un peu de thé. C'est un homme sans malice. Il leva un peu la tête et regarda la flamme bleue qui saisissait la bouilloire. Il n'en pouvait plus. Il n'était pas capable de solliciter pour les autres, il ne connaissait pas les besoins des autres. Il avait beau les aimer et vouloir qu'ils soient heureux, il était prêt à faire quelque chose pour les rendre heureux et il était prêt à écouter leurs problèmes, mais pas plus. Il ne savait pas ce qui pouvait se passer dans la tête d'une personne comme Bellocq. Il ne savait pas comment reconstituer les morceaux du puzzle Bellocq. Il était trop gêné pour lui demander *pourquoi* il lui fallait des photos et quel genre de photos. Il ne savait qu'une chose, il était au troisième, dans une maison de la rue Basin nord, en train de faire des mamours à cette demoiselle. Quand il sentait cette chair contre lui son esprit se vidait.

Qu'est-ce que tu lui dois? Rien. Il se sépara d'elle, prit un couteau et se mit à taper sur la petite fenêtre de la cuisine en regardant à l'extérieur. Il faisait froid dehors, il y avait un petit brouillard au-dessus du fleuve. Quand

144

Bellocq était venu le chercher, Bolden avait essayé de lui faire mettre un manteau, mais ils avaient continué leur route avec Bellocq qui essayait d'aller plus vite parce qu'il avait froid. Il posa la paume de sa main contre la vitre et y laissa l'empreinte de ses nerfs. Il l'effaça. Il se retourna, passa vite devant elle et sortit dans le hall. Comme il ouvrait la porte, elle dit O.K. très vite. Il se retourna, elle était appuyée sur le cadre de porte de la cuisine, une tasse à la main. Alors il ouvrit la porte et se retrouva dans l'escalier.

Il descendit en courant, se retenant pour ne pas crier; il était déjà deux étages plus bas quand il aperçut dans le hall d'entrée la silhouette découpée sur le papier peint qui le regardait d'en bas — le visage pâle et l'air gêné. Sans doute les avait-il entendues rire, il était probablement resté là pendant dix minutes, puis il avait dû lui falloir au moins cinq minutes pour redescendre.

Oui ou non, quelle que soit la réponse, je ne remonte pas cet escalier.

Alors je te porterai dans mes bras. Décide. Il criait en descendant à la course.

Espèce de foutu con de merde, les voix portent, tu sais.

Je sais. Mais c'est O.K. Nora a accepté. Il était resté sur la première marche et regardait Bellocq, le visage en sueur de Bellocq. Tout est arrangé, elle a dit qu'elle acceptait, O.K.? Elle va poser pour toi.

Je les ai entendues, Buddy, je les ai *entendues*.

Elles ne comprenaient pas, mon vieux, c'est O.K. maintenant, allons viens. Allons viens.

Alors il leva le corps frêle de son ami et le porta jusqu'en haut, trois étages. Il allait lentement car il ne voulait pas endommager l'appareil-photo ni blesser les os fragiles de ce corps délicat qu'il transportait. Mais quand il le déposa sur la dernière marche, il était fatigué, il tremblait et il était à bout de souffle.

Elle ne lui avait jamais reparlé de Bellocq. Jamais avant cette dernière nuit. Il lui demanda ce qui lui était arrivé et elle répéta ce que Webb avait dit, que Bellocq était mort. Mort dans un incendie. Cela faisait à peu près une heure qu'elle l'avait trouvé endormi avec sa chemise rouge dans la chambre des enfants.

J'ai seulement fait ça pour toi parce que, tu sais pourquoi?

Non. Pourquoi?

Parce que tu ne savais pas quoi dire, tu ne savais pas quoi faire pour me convaincre.

Elle lança sarcastique:

En une minute Tom Pickett aurait pu convaincre n'importe qui de faire ce que tu me demandais.

Sans blague.

Cette remarque ne l'avait pas atteint, il pensait à Bellocq écrasé, qui se précipitait en clopinant vers la porte d'entrée ce matin-là, pendant que les autres le regardaient du haut de leurs fenêtres.

Il ne te faisait pas pitié?

Je le haïssais, Buddy.

Mais *pourquoi*? Il était si inoffensif. Ce n'était qu'un homme solitaire. Tu sais, il parlait même à ses photographies, il se sentait seul à ce point-là. Pourquoi le détestes-tu? Tu n'as même jamais vu ses photos, elles étaient belles. Elles étaient douces. Pourquoi le détestes-tu?

Elle se tourna vers lui.

Regarde-toi. Regarde ce qu'il a fait de toi. Regarde-toi. Regarde-toi. Bon dieu. Mais regarde-toi.

★

Le lendemain matin sa fille qui dit: « J'ai fait un cauchemar. Maman nous avait préparé un plat avec des oignons, des cheveux et des pelures d'orange et puis on n'aimait pas ça et elle disait, mangez, c'est bon pour la santé. »

LE BLUES DE BUDDY BOLDEN

La parade (5e matin)

On descend la rue Iberville, l'atmosphère se réchauffe passé la rue Marais, c'est alors qu'elle sort de la foule et adopte notre cadence en longeant le public. Ma nouvelle camisole rouge, ma nouvelle chemise blanche étincelante sous le cornet. Des souliers neufs. De retour en ville.

Une glissade d'avertissement dans sa direction, puis une étreinte et un couac sur elle avant de la pousser avec l'épaule dans la foule. *Rugissement.* Entre les rues Marais et Liberty je n'envoie une note qu'à toutes les quinze secondes environ, Henry Allen qui me harcèle, qui me fait signe avec les yeux de continuer à jouer et, de loin en loin, ma note qui s'envole comme un oiseau au-dessus de la merde et qui reste là suspendue, forte et soutenue. *Rugissement.* Je traverse la rue Iberville dans tous les sens trottant comme un épagneul en avant de l'orchestre et, quand je touche aux limites de la foule — *rugissement.* C'est ma parade; tout y passe, le cakewalk, le strut, toutes les foutues danses et toutes les foutues marches dont je me rappelle, elles montent dans l'air en attendant ma note unique qui claque comme une gueule de rat par-dessus Allen et son air de marche insipide.

Mais d'où sort donc cette garce, je ne sais pas. Elle revient vers nous, elle marche avec nous, un sac d'os. Un corps mince et de longs cheveux, elle est rejointe par un type à moitié chauve qui danse aussi bien qu'elle, alors je me détourne de la digue formée par les gens et je les vise tous les deux et je les tire à moi avec une ficelle, le rugissement se poursuit derrière moi. Je les regarde se balancer sur la corne du soleil et ils finissent par s'apercevoir de ce qui se passe, alors j'accélère le morceau d'Henry Allen au point où la plupart des musiciens abandonnent et se contentent de suivre à pied; les notes deviennent plus

148

fréquentes maintenant, à toutes les cinq secondes. Les yeux s'assombrissent dans la rue chaude et délavée. Y arriver avant la fin, mais c'est presque fini presque fini, on approche de la rue Liberty. Ils continuent tous les deux, elle et lui, ils se froissent l'un contre l'autre comme des broussailles dans le vent. Le battement des couacs se fait discours, ses cheveux qu'elle lui lance au visage pour ensuite les ramener en arrière comme un fouet d'un coup de tête. Elle est Robin, elle est Nora, elle est la langue de la fille de Crawley.

La marche ralentit et, au moment où elle va s'arrêter sur un oum-pah-pah, je décolle pour m'envoler en longues tirades dont j'accentue la fin avec des couacs qui créent un nouveau rythme; confiant, je les lance les yeux fermés, les autres sont silencieux je le sais, je jette les notes sur les murs de gens, des lignes de fer, si pures et si sûres qu'elles ramènent le hurlement au niveau du sol et qu'elles laissent pénétrer la lumière, et la fille est seule maintenant à refléter ma gorge dans la langueur de sa danse solitaire. La rue silencieuse, on n'entend plus que nous, sa respiration haletante près de moi et je tournoie au centre de l'intersection Liberty-Iberville. Puis silence. Quelque chose s'est rompu en moi et je ne peux plus entendre la musique que je joue. Les notes se font plus fréquentes maintenant. De son corps elle attrape chaque note avant même qu'elle ne soit sortie, ainsi c'est par elle que je sais ce que je fais. Bon dieu, c'est ce que j'ai toujours recherché, je savais que quelque part un jour je trouverais cela, ce miroir; elle se rapproche de moi maintenant et ses yeux sur les miens, durs et jeunes; dieu sait d'où elle vient. Je ne l'ai jamais vue auparavant, pourtant elle me nargue et m'incite à la dépasser, vieux héros, vieil ego mis à l'épreuve par un autre aussi froid et aussi pur que lui, cette grande garce aux seins qui ballottent sous sa blouse légère, mouillée d'énergie. Et moi qui les fixe avec mon instrument pointé, visant la gorge. À

149

moitié mort, je n'en peux plus, je ne pousse presque plus
de couacs, mais quand je le fais mon corps les projette
comme si je dansais moi-même, et la musique sort. *Rugissement*. Ça revient maintenant, j'entends par vagues de
temps en temps et alors, bon dieu la chaleur dans l'air, elle
tourbillonne et ses mains frêles glissent dans ses cheveux
et exécutent leur propre danse; avec ses mains elle mesure
plus de sept pieds et je les vise pour les ramener au niveau
de mon corps et la musique reste accrochée dans ses
cheveux; c'est cela que je voulais, que j'ai toujours voulu,
me perdre en jouant, quitter la scène, le rectangle des
musiciens dans la rue, cette auditrice qui arrive à me lancer
dans la direction qu'elle désire à la vitesse qu'elle veut
comme une ombre en colère. Grattement et gémissement
dans ma gorge, chat dans la gorge alors que nous commen-
çons à ralentir. Fatigué. Elle me couvre encore de son
regard et me voit ralentir et elle me laisse ralentir, ses seins
noirs sous la légère blouse mouillée, bruit et douleur mortelle dans mon cœur. Tout mon corps me monte à la gorge
et j'accélère à nouveau et elle accélère lasse à nouveau, une
rivière de sueur lui coule jusqu'à la taille, sa tête et ses
cheveux renversés vers moi, tout le désir en moi, raide
comme une crampe, une bitte couverte de cocaïne, éter-
nelle; j'ai le cœur dans la gorge et je lance de longues notes
pures dans ce « shimmy » de la victoire, dans cette danse
célébrée à grands coups de chevelure, une sorte de pavane
locale; nos yeux se rencontrent, la sueur dégouline sur son
menton, les bras étendus dans un effort final, douleur, un
dernier couac qui s'allonge et monte vers elle pour la
transpercer aux yeux de tous comme un javelot à travers le
cerveau et dans le ventre; sentir monter le sang, le vrai,
avec de nouvelles réserves d'énergie, il monte et m'inonde
le cœur dans une folle parade, il me sort entre les dents, il
est dans mon cornet, mon dieu je ne peux plus me retenir
mon dieu je ne peux plus le retenir je ne peux plus retenir

l'air empêcher cette force rouge de monter je ne peux plus l'enlever de ma bouche, peux plus respirer, je suffoque, cette gerbe vient de si loin en moi bon dieu je ne peux pas l'étouffer la musique encore qui coule avec une brutalité que je n'avais jamais atteinte, regarde-la *écoute*-la *écoute*-la, vois plus rien JE NE VOIS PLUS RIEN. Air, à la dérive à travers le sang, jusqu'à la fille, rouge, qui frappe, à l'aveuglette, je sens les autres qui se retournent, le silence de la foule, je ne vois plus rien.

Willy Cornish l'attrape au moment où il tombe à la renverse, il le recouvre, il aperçoit la tache rouge sur la chemise blanche; il pense que la chemise est déchirée et que c'est la camisole rouge qui paraît, puis il soulève le cornet et le sang se met à en dégoutter quand il détache le métal collé au dur baiser de la bouche.

Ce que je voulais.

LE BLUES DE BUDDY BOLDEN

CHARLES "BUDDY" BOLDEN

Né en 1876? Baptiste. Son nom n'est ni français ni espagnol.

Il n'a jamais eu d'épouse légitime.

Nora Bass eut une fille, Bernadine, de Bolden.

Hattie _____ eut un garçon de lui, Charles Bolden junior.

Hattie habitait près de chez Louis Jones. (Jones, né le 12 septembre 1872, était un ami intime de Bolden).

Manuel Hall vécut avec la maman de Bolden et lui apprit le cornet. Hall savait lire la musique.

Ses autres maîtres furent peut-être Happy Galloway, Bud Scott et Mutt Carey.

Sa mère vivait au 2328, rue Phillip.

Bolden travaillait au salon de rasage N. Joseph.

Il jouait au Masonic Hall, à l'angle des rues Perdido et Rampart, au Globe en ville, à l'angle des rues St. Peter et Claude, et au Jackson Hall.

En avril 1907, Bolden (trente et un ans) devient fou alors qu'il joue avec le Henry Allen's Brass Band.

Il vivait au 2527, rue First.

Conduit à la « taule », prison située près du quartier chinois. Opéré pour rupture de vaisseaux sanguins dans le cou.

Le 1er juin 1907, le juge T.C.W. Ellis, magistrat à la cour du district civil, émet un mandat autorisant les députés shérifs H.B. McMurray et T. Jones à conduire Bolden à l'asile d'aliénés situé juste au nord de Bâton Rouge. Un voyage de 100 milles en train le long du Mississippi.

Conduit à cet asile datant d'avant la guerre civile, en voiture à cheval sur les quinze derniers milles.

Admis à l'asile le 5 juin 1907. « Dementia Praecox. Type paranoïaque. »

East Louisiana State Hospital, Jackson, Louisiana 70748.

Mourut en 1931.

LE BLUES DE BUDDY BOLDEN

*

La lumière blanche du soleil plombe sur la rue Gravier, sur la rue Phillip, sur la rue Liberty. La peinture des murs de bois s'est effritée sous la chaleur, on peut l'enlever en l'effleurant de la main. C'est ici qu'il vivait il y a soixante-dix ans, c'est ici que son esprit, au pinacle de quelque chose, s'est écroulé, c'est ici qu'il fut arrêté, mis en taule, conduit en train à Bâton Rouge, pour être ensuite emmené en charrette dans un asile. Sa carrière a débuté dans cette rue au bois dépeint et s'est terminée là où il a donné sa cervelle. Le lieu de sa musique est tout à fait silencieux. Il y a si peu de bruit que j'entends le déclic de l'appareil avec lequel je prends en vitesse de mauvaises photographies face au soleil en visant le salon de rasage où il travaillait sans doute.

La rue a quinze verges de large. Je me promène sous le regard de trois hommes debout sous une affiche de Coca-Cola au bout de la rue. Ils n'ont jamais entendu parler de lui ici. L'un d'eux se rappelle toutefois qu'un homme est venu l'année dernière avec un magnétophone et lui a offert de l'argent en échange d'informations, alléguant que Bolden était un « musicien célèbre ». Le soleil a tout décoloré. Les affiches de Coke sont presque roses. La peinture qui reste est couleur de vieille herbe. Lumière du jour à 2 heures de l'après-midi. Son absence est totale — même son squelette s'est ramolli, s'est désintégré et s'est perdu dans l'eau sous la terre du cimetière Holtz. Quand il est devenu fou, il avait le même âge que moi maintenant.

154

La photographie se transforme et devient un miroir. Quand j'ai appris qu'il lui arrivait de se tenir devant des glaces et de s'attaquer à lui-même, ma mémoire a sursauté. Car il m'était déjà arrivé de faire la même chose. Je me suis vu en train d'entailler des joues ou un front, ou de raser des poils avec une lame de rasoir. Pour dégrader des gens que nous ne voulions pas être. Il entre dans la pièce, s'agenouille devant la glace et s'assoit sur ses talons. Il se met à parler. Il tient une lame entre le pouce et l'index et entaille le haut de la joue. En premier il n'ose pas aller plus loin que quelques égratignures sur la peau. Même quand elles se font plus profondes, les entailles paraissent encore innocentes parce que la lame est mince. C'est ainsi qu'il amène son ennemi à la surface de la peau. La lente trace du rasoir est presque indolore tellement la haine du cerveau est grande. Ensuite il s'attaque à ses cheveux, qu'il enlève par touffes.

Une mince gerbe d'informations. Pourquoi mes sens se sont-ils arrêtés à toi? Il y avait bien cette phrase: « Buddy Bolden, celui qui passa à la légende en devenant fou au milieu d'une parade...» Mais était-ce vraiment suffisant pour qu'avant même de connaître ta nationalité, ta couleur ou ton âge, je me lance le bras à travers ta glace pour m'empoigner moi-même? Je ne voulais pas chercher à imiter ton accent, je voulais juste penser à travers ton cerveau, me mettre dans ta peau; et toi, comme une girouette, tu pivotais au centre de ta vie, passant d'un extrême à l'autre et te brûlant finalement la cervelle; de sorte que le 5 juin 1907 on finit par te plonger dans l'ambre à l'hôpital East Louisiana State jusqu'en 1931. Certains disent que tu es devenu fou en cherchant à jouer la musique du diable en même temps que des hymnes, et Armstrong, lui, raconte que tu es devenu fou parce que tu jouais trop fort et trop souvent soûl, comme un forcené, comme un fou. Les excès obscurcissent la page. Il y eut l'apogée de la parade, après quoi tu te retiras du jeu de la célébrité au XXe siècle, le reste de ta vie est un désert de faits. Ouverts et étalés comme des entrailles.

Autrefois on enterrait les chiens dans la rue First. Comme la rue était pleine de trous, c'était facile. Au cimetière Holtz, par contre, le niveau élevé de la nappe phréatique fait disparaître la chair en six mois, de sorte qu'on peut en enterrer d'autres au même endroit moins d'un an plus tard. Ainsi, pour nous tu es ici, et non à Holtz avec ces fleurs en plastique dans des boîtes de café Maxwell House, ces Christ en plastique de quatre pouces de haut plantés dans le ciment et ces croix où il y a tant de noms qu'on dirait le registre de toute une génération.

Le soleil a avalé la couleur de la rue. Ce n'est plus qu'une photo en noir et blanc, dans un manuel d'histoire.

La prison. Trois seringues perdues en moi. Ils me retournent et dans le gras de la cuisse ils me plantent ce qui tue la douleur. Et j'ouvre les yeux et l'infirmière est là, avec son cou noueux et son visage noueux qui sourit. Réveillé, Bolden? J'incline la tête. On se regarde, et puis elle sort. Aucune conversation. Je ne peux pas chanter par mon cou. À toutes les trois heures, je m'approche de la porte, car c'est alors qu'elle entrera avec la seringue au creux de sa belle paume comme un œuf. Tourne-toi, penche-toi et prends ça dans la fesse. Dors maintenant. J'incline la tête. Sept heures du matin. On me donne un bain. Je me redresse et elle vient me déboutonner dans le dos, elle passe la camisole par-dessus les épaules. Voyez-vous, je suis incapable de me servir de mes bras. Elle me verse le savon froid sur la poitrine et me frotte fort sur les seins et sur le poil. Sourire. Bon? J'incline la tête. Et alors elle baisse ma camisole blanche un peu plus bas et c'est encore du savon froid en rond dans ma fourche. Quand elle se penche ainsi contre moi le matin rouge se reflète sur sa figure. Tous ceux qui me touchent doivent être beaux.

La main de Bolden qui s'élève
à l'agonie.
Son cerveau qui la fait monter dans la
trajectoire du ventilateur rotatif.

Ce geste se répète à tout jamais dans sa mémoire.

LE BLUES DE BUDDY BOLDEN

Interview de Lionel Gremillion à l'East Louisiana Hospital.

La mère de Bolden, Alice Bolden, lui écrivait deux fois par mois. Elle l'appelait « Charles ».

Il mourut le 4 novembre 1931 à l'hôpital.

Sa sœur, Cora Bolden Reed, fut avisée de sa mort.

Les entrepreneurs des pompes funèbres Geddes & Moss de La Nouvelle-Orléans embaumèrent le corps. Le 4 novembre, sa sœur envoya le télégramme suivant: « VEUILLEZ EXPÉDIER DÉPOUILLE MORTELLE DE CHARLES BOLDEN À J.D. GILBERT UNDERTAKING CO. BATON ROUGE POUR FUNÉRAILLES. »

Enterré dans une fosse anonyme du cimetière Holtz après avoir été ramené de l'asile jusqu'à La Nouvelle-Orléans en passant par Slaughter, Vachery et Sunshine.

L'aumônier protestant de l'hôpital, le révérend Sede Bradham, avait autrefois travaillé dans cet hôpital. Il avait vu Bolden jouer à N.O. « Individu hyperactif. Sur le kiosque, il marchait sans arrêt en jouant du cornet... il avait tendance à s'approcher de la balustrade, pour jouer pour le monde extérieur. »

Dr Robard: « Il faisait office de barbier pour les patients. Il ne prétendait pas avoir été un innovateur en jazz. »

Les Blancs et les Noirs se parlaient peu, de sorte qu'il est difficile d'obtenir beaucoup d'information. Aucun employé noir ici.

Gremillion qui échafaude des théories: « C'était une grosse grenouille, il avait une suite. Il avait un ego puissant, son comportement devint trop erratique. Extroverti un moment, il se repliait sur lui-même tout de suite après, un mouvement de pendule. Suspicion. Paranoïa. Peut-être un problème endocrinien. »

Les patients étaient parfois emmenés en bateau sur le Mississippi jusqu'à St. Francisville.

LE BLUES DE BUDDY BOLDEN

Journée typique:

Il se levait tôt. L'été à 4h30. L'hiver à 5h.

Ceux qui étaient enfermés étaient ramenés dans leur salle après le petit déjeuner. Bolden occupa probablement des salles closes et des salles ouvertes. En salle ouverte on lui confiait des tâches, dont celle de couper les cheveux. Déjeuner à 11h30.

Activités récréatives: volley-ball, baseball. Danse deux fois par semaine.

Enveloppements froids pour les hyperactifs. L'endroit était bruyant.

16h30 — 17h. Dîner.
Au lit à 20h.

Certains blocs d'isolement. « Salle des négligents » pour les vieux malades incontinents. « Salles closes » pour ceux qui cherchaient à s'évader. « Salles des violents » pour les incontrôlables.

H.B. McMurray et Jones me sortent de la taule et me font monter à bord d'un train qui va vers le nord. Dehors un fleuve n'arrive pas à sortir de la pluie. Fleurs de chicorée, bleues dans les champs comme le ciel. Les arbres, les rochers, les fossés bruns qui dévalent de chaque côté sur notre passage. Le train dans un manteau mouillé. Un collier bleu me tient les mains jointes. On s'en va à la fourrière. McMurray assène un coup sur mon beau museau pour avoir ri de la pluie. Mon cou est chaud et mouillé et je me sens comme s'il y avait un soulier de coincé là-dedans. T. Jones à côté de moi, la fenêtre à côté de moi, McMurray en face de moi. Sa main a monté vers moi comme par magie et m'a giflé pour avoir ri aussi fort que le train. Des étrangers assis au bord de l'horizon. Mouillé dans le cou. Chardon dans le cou. Voyez-vous, j'ai subi une opération dans la gorge. Voyez-vous, j'ai subi une aberration dans la gorge. Un bouc a planté sa corne en moi et puis il a tiré. Laissez-moi vous dire, ce n'était pas drôle là-dedans. Tout était écrasé comme de la boue et ils ont tout rapiécé avec des aiguilles et m'ont enveloppé avec du tissu pour que ça tienne ensemble.

Je m'en vais à la fourrière. McMurray et Jones me tiennent par la main. La femme sans seins en pyjama bleu sera là. Les bras musclés seront là. Cravate. Ceinture. Bottes.

Ils me forcent à les aimer. Ils sont les bras qui prennent soin de moi. Le deuxième jour, ils sont venus dans ma chambre et m'ont complètement dévêtu, puis ils m'ont penché sur la table et m'ont défoncé l'anus. Ils m'ont donné une camisole blanche. Ils savent que je suis barbier et je ne leur avais pas dit que j'étais barbier. Je ne veux pas. Je ne peux pas. J'ai une botte dans la gorge, il faut que la nourriture passe par-dessus pour ensuite descendre rejoindre tous ses copains dans l'estomac. Salut saucisse. Salut chou. As-tu vu cette foutue botte. Oui, c'est juste si je n'ai pas fait demi-tour pour retourner dans l'assiette. Qui c'est ce gars-là où on est, dites-moi?

Le soleil vient faire un tour tous les jours. Je garde les bouts de ficelle. Je les aligne dans la pièce. Je l'ai vu se glisser entre les grilles de la fenêtre. Quand le soleil touche la première ficelle, bang, il est 10 heures. Il est 2 heures de l'après-midi quand il touche la deuxième ficelle. Quand l'ombre de la première ficelle est au-dessous de la deuxième ficelle, il est quatre heures. Quand elle atteint la porte, il fera bientôt noir.

Je ris dans ma chambre. Quand tu cherches à m'expliquer, je te crache, comme un flegme jaune.

★

En été ils se levaient tous les jours à quatre heures et demie. Ils se lavaient et restaient ensemble pendant une heure, puis, à six heures ils se mettaient en ligne et allaient chercher des fourchettes sur la table, ils mangeaient. À sept heures, ils levaient leurs fourchettes au-dessus de leurs têtes, afin qu'on puisse les ramasser. Repas du matin, silencieux, et repas du midi, bruyant. C'était leur seul trait distinctif.

Le lundi matin, il leur coupait les cheveux. Il n'était pas bon barbier, mais selon les formulaires, c'était son métier. Alors il faisait la barbe et coupait les cheveux dans un coin du réfectoire, avec un vieillard qui était meilleur que lui mais qui mourut deux ans après l'arrivée de Bolden. On lui demanda de former quelqu'un d'autre, il ne réagit pas; deux patients apprirent cependant à force de l'observer. Un des malades, un dénommé Bertram Lord, venait chaque semaine et essayait de lui prendre les ciseaux et chaque jour, à la fin de son quart, Bolden levait le bras avec les ciseaux et le rasoir, et on les prenait pour les mettre sous clé.

Lord, qui connaissait la réputation de Bolden, cherchait toujours à le convaincre de s'évader. Le bruit que faisait Lord était si constant qu'il ressemblait à du papier peint et ne laissait aucune trace sur Bolden, qui n'avait même pas à déformer le sens des paroles et se servait du bruit comme d'une écorce autour de lui.

Jusqu'au jour de l'évasion, Lord s'était contenté de parler, c'est pourquoi Bolden fut vraiment impressionné quand il le vit sauter sur l'occasion sans hésiter. Comme il n'avait jamais écouté cette ombre, qui par ailleurs interpré-

163

tait son silence comme un oracle, il n'avait aucune idée de ce que mijotait Bertram Lord.

Tout le monde avait grimpé sur les tables pour regarder. Tout avait commencé par Antrim qui se faisait donner sa piqûre hebdomadaire, destinée à détourner ses crises en lui faisant oublier de les exprimer. Antrim s'était mis à se disputer avec le docteur Vernon pour des vétilles. Les médecins avaient l'habitude de changer de bras à chaque semaine et Antrim était certain que cette semaine c'était au tour du bras gauche, or le docteur Vernon avait commencé à rouler la manche droite. Le médecin avait déposé sa seringue pour calmer le malade furieux et Lord, qui passait devant la porte ouverte, entra, s'empara de la seringue et passa son autre bras autour du cou de Vernon.

Il traîna le médecin dans le corridor tout en lui maintenant l'aiguille à quelques pouces de l'œil, il força les surveillants à ouvrir les portes. Les deux gardes hésitèrent en premier et Lord, qui était nerveux, resserra sa poigne sur l'ampoule de verre, tellement que celle-ci fut broyée. Il ne lâchait toujours pas la seringue, mais il la tenait moins fort maintenant, toujours près de l'œil du médecin, et les gardes voyant qu'il ne bronchait pas ouvrirent les portes. Lord invita alors les autres à le suivre, il appela Bolden à plusieurs reprises, mais son ami s'était assis dans le fauteuil de barbier et regardait le spectacle en attendant son prochain client, qui était quelque part en train de sauter sur une table. Lord réussit donc à sortir. Pendant deux jours il erra dans la ville de Jackson puis il fut ramené et battu. Il boitait, il dit qu'il s'était quasiment brisé la cheville en sautant par-dessus une clôture. Mais ce n'était pas vrai. Au cours de son escapade, il avait détaché avec soin le fond d'une bouteille de Coca-Cola. Il l'avait aiguisé pour en faire un disque tranchant qu'il avait caché sous l'arche de son pied gauche. Il avait son arme. Elle était là dans son soulier serré, et il réglerait son compte à Bolden.

LE BLUES DE BUDDY BOLDEN

Extraits de l'ouvrage de Lionel Gremillion, *A Brief History of East Louisiana State Hospital*

L'hôpital ouvrit ses portes en 1848. Quatre-vingt-sept patients y furent transférés de l'hôpital de la charité à La Nouvelle-Orléans.

1853. Un comité spécial remet un rapport minoritaire déplorant l'état misérable des patients, qui, dit-on, sont sous-alimentés. Le repas du midi consiste en une gamelle de soupe, un morceau de viande gros comme un œuf de poule et un petit morceau de pain. Le matin il y a du pain et du café. Le soir du pain et du thé. Les patientes sont vêtues de façon indécente. Les cellules ne sont pas chauffées.

1857. J.D. Barkdull est nommé directeur. C'est la première fois que l'établissement est administré par un membre du corps médical.

1861. L'hôpital compte trente-six fillettes parmi les patientes, la plupart âgées de moins de douze ans.

1855. La dysenterie emporte des salles entières. On rapporte que « les patients avaient l'impression d'être comme du foin sous la faux ».

1859. Parmi les causes de folie énumérées on trouve: la mauvaise santé, la perte de biens, l'abus de tabac, une vie désordonnée, des problèmes de ménage, l'épilepsie, la masturbation, le mal du pays, des blessures à la tête. La plus grande catégorie est étiquetée « cause inconnue ».

1864. Le directeur de l'hôpital, le Dr Barkdull, est abattu d'un coup de feu par un soldat yankee dans les rues de Jackson.

Au cours de la Guerre civile il est presque impossible d'approvisionner l'hôpital en eau et en nourriture.

1882. Introduction de l'ergothérapie. Les patients sont affectés à la fabrication de matelas de mousse.

1902-1904.   1397 patients. 490 sont noirs. L'hôpital se dote de lavabos et de cabinets en fer. On construit un bassin de 20 pieds sur la pelouse en face du bâtiment des femmes et on l'ensemence de poissons rouges.

1910-1912.   1496 patients. Le taux de mortalité est de 11% par année. On fait l'acquisition d'une « machine à vues » pour amuser les patients. On fabrique un corbillard à l'hôpital même. L'hôpital fait l'acquisition d'une voiture automobile capable de conduire sept à huit passagers jusqu'à la gare.

1912-1914.   La fanfare de l'hôpital joue tous les après-midi sur la pelouse de l'hôpital de 14h à 16h. 1650 patients. À partir de 1924, on commence à administrer aux patients un test de dépistage des maladies vénériennes. Le résultat du test de Bolden est négatif.

À partir de 1924. Le Dr T.J. Perkins est nommé directeur. 2100 patients.

1931.   Buddy Bolden meurt.

1948.   Acquisition d'une machine à électrochocs, de marque Medcraft, qui sert encore aujourd'hui.

Willy Cornish

Dans ce temps-là tout le monde devenait célèbre. Le jazz faisait maintenant partie de l'histoire. Les bibliothécaires faisaient des enregistrements et des interviews. Ils se foutaient de savoir qui parlait, du moment que quelqu'un disait quelque chose. Des gens comme Amacker, Woodman, Porteous, n'importe qui. Ils ne cherchaient pas à savoir ce qu'il était advenu de sa femme ou de ses enfants, et personne ne connaissait l'existence des Brewitt. Tout ce que j'avais de Buddy, c'était cette photo que voilà. C'est Webb qui me l'a donnée. J'ai toujours refusé de parler de lui.

Je ne savais pas quoi dire. Il avait tout ce talent, toute cette expérience qu'il avait volée à d'autres ou qu'il avait acquise, et puis il a tout brisé, il a tout brisé, comme un bloc de glace qui tombe d'un camion sur la route. Qu'est-ce qu'il a vu dans tout ça? À quoi ça sert tout ça, si on ne finit pas par apprendre quelque chose. Je pense que Bellocq l'avait corrompu avec son silence plein de malice; alors Buddy est parti et Bellocq est resté ici, consterné par son départ. Buddy, parti pendant deux ans, pour revenir ensuite plein de considération pour nous, jusqu'à ce qu'il s'en aille... devenir fou devant les enfants et Nora et tout le monde.

Et puis bon dieu, ce *bon dieu* d'hôpital et tout ce monde là-dedans, et dire qu'il s'y est glissé comme une aiguille dans le sang. Avec tous ses amis dehors qui le regardaient comme s'ils avaient été dans les estrades, jusqu'au jour où ils ont commencé à comprendre qu'il n'en sortirait jamais; c'est alors que tous ceux qu'il connaissait à peine, tous les imbéciles, se sont mis à parler de lui...

LE BLUES DE BUDDY BOLDEN

★

Dans la chambre il y a de l'air
                      et il y a un coin
et il y a un coin et il y a un coin
et il y a un coin.

Remue-toi si tu veux du gâteau.

Bella Davenport a épousé Willy Cornish en 1922.
Cornish 6pi. 3po. — 297lb.
« Quand on s'est marié, il était fort comme un cochon ».

Cornish eut une première attaque d'apoplexie au
coin des rues Rampart et Julien alors qu'il jouait. Le
bras paralysé. Bella interrogée à propos de ceux
avec qui Cornish avait joué:

« Buddy et lui
étaient comme les deux doigts de la main »
et
« Ils sont à peu près tous devenus fous »

★

Pour protester contre les gardiens qui violaient les patients, contre le mauvais état de la plomberie, contre le travail et le manque de chauffage, les malades firent la grève. Sans résultat. Alors ils se tranchèrent les tendons. Pas Bolden, qui sublimait tout et s'imaginait qu'il se faisait violer par des dames en pyjamas bleus. Pour lui le travail était son devoir envers le soleil. Bertram Lord passa dans le corridor et glissa le fond de bouteille de Coke sous la porte de chaque malade. Ceux-ci prenaient le morceau de verre affilé, se sectionnaient le tendon et remettaient le tesson. Bolden vit cette arme étrange entrer dans sa chambre, il quitta sa fenêtre, où il attendait le matin, il écouta l'ordre murmuré de l'autre côté du panneau de bois, examina le morceau de verre, le toucha du pied et le repoussa doucement jusqu'à Lord, qui visita vingt-huit portes en tout.

Le matin, comme les hommes s'étaient servis de leur camisole pour se panser le talon, ils étaient nus quand les portes s'ouvrirent. Bolden, qui attendait, avait le visage inondé de soleil; il sourit, sortit plein d'entrain et se retrouva presque seul au petit déjeuner où son visiteur l'attendait encore; ce matin il avait pris la forme d'une riche barre de lumière qui traversait la table presque jusqu'à son assiette. Son ami était si éclatant qu'il lui faisait voir la texture du bois que les fourchettes avaient couvert de cicatrices. Bolden n'avait presque pas envie de manger aujourd'hui. Il remettait sans cesse sa cuillère dans l'écuelle de fer blanc et déposait sa main sur le jaune chaud de son ami et celui-ci réussissait toujours comme

171

par magie à mettre sa lumière par-dessus la main de Bolden simultanément, de sorte qu'elle restait au chaud. Plus tard dans la journée, il suivit le trajet de son ami. Il se lava la figure à travers les rayons de lumière; il se baignait dans cette chaleur qui lui étanchait la bouche, le nez, le front et les joues. Toute cette journée fut sanctifiée par la visite de son ami.

Webb en ville plusieurs années plus tard, en 1924, au cours d'une fête animée rencontra dans un coin Bella Davenport, alors la femme de Willy Cornish, donc Bella Cornish. Ils finirent par parler de Bolden. Webb dit que c'était un ami de longue date. C'est cette année-là que Tom Pickett fut abattu d'un coup de feu rue Poydras. La fête avait lieu rue Napoléon; tout le monde était entassé sur deux étages, dans l'escalier et jusque sur les marches dehors. Webb, qui revenait après de nombreuses années d'absence, se trouva par hasard à côté de Bella Davenport; il n'était pas plus intéressé qu'il fallait, jusqu'à ce qu'elle se présente comme étant Bella Cornish en faisant cliqueter ses perles de porcelaine blanche; alors Webb la regarda et, en voyant son visage raviné par de minces rides d'ombre, il s'aperçut qu'ils commençaient tous à prendre de l'âge.

C'est probablement la mort de Pickett qui les amena à parler de Bolden. Ils étaient comme les deux doigts de la main, Willy et lui, disait-elle. Ils étaient assis sur une marche dans le tournant de l'escalier. La mort de Buddy l'avait surpris, expliqua Webb. Il avait toujours cru que Bolden finirait par réagir et par sortir de son silence quand il en aurait assez. Non, j'étais sûr qu'il faisait cela rien que pour se cacher, pour se cacher de nous, comprenez-vous, et qu'un jour il mettrait sa chemise rouge et reviendrait; oui, la lettre de Nora m'a bien étonné. J'avais l'habitude d'aller lui rendre visite de temps à autre, même s'il ne disait jamais rien, et puis elle m'a écrit pour me dire que ça ne valait plus la peine, parce que Buddy était mort. C'est bizarre comment les choses arrivent, hein? Comme le cliquetis des perles avait cessé et que Bella Cornish ne bougeait pas, il leva les yeux. *Mais il n'est pas mort,* chuchota-t-elle. Il est encore à l'hôpital, à l'asile, il est encore là, bonté divine. Quand est-ce que Nora vous a écrit?

Il y a huit ans.

Il est toujours là, depuis dix-huit ans maintenant. Willy est allé le voir il y a un an. Il ne fait rien, rien du tout. Il ne parle jamais, il se promène en touchant des objets. C'est ce que le docteur a dit à Willy; Willy s'est fait passer pour son frère. Il a attendu toute la journée dans le corridor pour parler au docteur, et Willy qui se remettait à peine de sa crise cardiaque, bonté divine. On lui a dit que Buddy touchait des objets; il y a à peu près vingt objets qu'il touche et il passe de l'un à l'autre, c'est tout. Il refuse de parler; savez-vous qu'ils ont même une fanfare, mais il n'en fait pas partie; il coupait les cheveux, mais il a cessé depuis un certain temps. Maintenant il touche des objets. Willy, dont la main n'était pas encore complètement guérie, s'est rendu jusqu'à l'hôpital, il a même couché en chemin, à un endroit appelé Vachery, et Buddy ne lui a même pas dit un mot. Et dire que Willy et lui étaient comme les deux doigts de la main. Il ne faisait même pas semblant de le reconnaître. Le docteur dit que la plupart des malades ne reconnaissent pas leurs visiteurs, mais qu'ils font semblant, juste pour avoir de la compagnie, mais Buddy non. Willy l'a accompagné dans sa ronde, c'était comme s'il faisait une tournée ou s'il inspectait les lieux; il donnait de petits coups sur la baignoire, sur un cadre de porte, sur des bancs, sur des choses comme ça.

Elle n'arrêtait pas de parler, elle se répétait, reprenait ses descriptions, revenait sur des choses qu'elle avait déjà dites et les racontait de nouveau plus en détail pour Webb.

174

Lui, était incapable de parler, il se contentait de se coller le corps et la tête contre le mur derrière lui, comme s'il tentait d'échapper à l'odeur même des paroles de cette femme, comme si l'air qu'elle exhalait en parlant lui entrait par la bouche et l'emplissait, le gonflait d'un poison qui lui endormait le cerveau. Il était incapable de faire quoi que ce soit, sinon réagir dans sa chair. Elle continuait à parler sans savoir que c'était lui qui avait ramené Buddy à la maison; au lieu de cela, voyant l'effet de ses paroles, elle continua à chuchoter en se penchant plus près de lui comme s'il avait été son amant au milieu de la foule bruyante autour d'eux; et elle lui répétait sans cesse, *il touche des objets*, comme des robinets, d'abord l'eau chaude puis l'eau froide; ce qui n'était pas vrai car il n'y avait que des robinets d'eau froide à l'East Louisiana State Hospital mais elle n'en continuait pas moins sa description — fascinée par ce geste étrange comme par une somptueuse démangeaison sous une gale. Et lui, le corps raide et tendu, les nerfs à fleur de peau, s'arquait contre le mur pour s'y incruster, pour échapper à la bouche de Bella qui rampait sur lui, pour échapper à cette étrange réaction de sa chair; il finit par se précipiter au bas de l'escalier, marchant sur les mains et sur les verres, piétinant presque les corps sur les marches bondées de monde, s'excusant d'un sourire, je vais vomir, 'scusez-moi, 'scusez-moi, tout en sachant très bien qu'il n'avait rien à restituer.

Bella regarda ce corps flasque descendre l'escalier et remarqua alors la tache d'humidité à sa droite, là où la sueur de Webb avait, en quelques minutes, traversé sa peau, sa chemise et son veston de kapok pour pénétrer dans le mur.

LE BLUES DE BUDDY BOLDEN

*

Interviews de Frank Amacker. Résumé de transcription.
Bibliothèque de Tulane. Étaient aussi présents: William Rus-
sell, Allan et Sandra Jaffe, Richard B. Allen.

Bobine 1. 21 juin 1965

Il commence (presque immédiatement) à jouer un vieux
« rag » avec les bras très écartés. Il n'arrive pas à se souvenir du titre de ce « ragtime ». Il se vante de pouvoir jouer
les mains très écartées. Il est prêt à parier que personne ne
peut le surpasser. Après quoi il dit que c'est lui qui a
composé l'air qu'il vient de jouer.

Il explique ensuite que sa façon de jouer les bras très
écartés est la façon naturelle de jouer du piano. Il déplore
que le public se contente de pianistes qui ne jouent pas
aussi bien que lui. Interrogé à propos de son âge, il répond
qu'il a eu soixante-quinze ans le 22 mars 1965. A.J. lui
demande de jouer « My Josephine ». F.A. joue « Moon-
light on the Ganges ». Il raconte qu'il avait l'habitude de se
tenir au BIG 25 en compagnie de Jelly Roll Morton. Il
jouait là le soir du meurtre de Billy Phillips au Ranch 101.
Gyp the Blood avait abattu Billy Phillips à l'entrée de son
propre bar à 4h20 le lundi de Pâques puis il avait traversé
la rue et était allé tuer Harry Parker. Le cachet était de un
dollar à un dollar cinquante la soirée, plus les pourboires.
L'argent valait bien plus en ce temps-là. Il explique le sens
du mot « Lagniappe ». Il explique l'expression « can
rusher ».

FIN DE LA BOBINE UN.

176

Bobine 2.

Une discussion sur les valses s'ensuit. Il prétend pouvoir jouer « La Belle de Sigma Chi » et « La Sérénade de Schubert ». W.R. lui demande de jouer cette dernière, et F.A. joue « La Sérénade de Drigo ». Il a déjà été très riche, dit-il, mais il a tout perdu. Il fut un temps où il était propriétaire de cinq clubs. Il fut un temps où il avait un bar et un restaurant. À la Sécurité sociale on peut trouver toutes les données sur ses richesses antérieures.

FIN DE LA BOBINE DEUX.

Bobine 3.

Il joue « The House Got Ready ». Il joue l'indicatif de l'émission « Amos 'n' Andy ». Ensuite un « ragtime » lent, encore avec les bras bien écartés. (Certains de ses « rags » ont des titres obscènes. Il refuse de les nommer devant S.J. et R.B.A.) F.A. raconte qu'il connaissait des milliers de ragtimes. Il ne sait pas jouer « The Pearls » de Jelly Roll Morton. Ensuite il joue et chante « I'll see you in my dreams ». Il demande qu'on lui serve un coup.

FIN DE LA BOBINE TROIS.

Bobine 1. Résumé de transcription. 1er juillet 1960

Frank Amacker né à La Nouvelle-Orléans le 22 mars 1890. Sa carrière débuta à l'âge de seize ans, il jouait dans le « District ». Son premier instrument était le piano, il adopta ensuite la guitare. R.B.A. demande à F.A. s'il a déjà joué « The Naked Dance » (de Tony Jackson). F.A. réplique qu'il a souvent accompagné des danseuses nues, mais que le pianiste était censé se contenter de jouer; il devait se concentrer sur le clavier et n'avait pas à regarder les putains. F.A. explique alors que c'est par la grâce de Dieu qu'il est resté si jeune, et que ce doit être parce que Dieu le réserve pour quelque chose de spécial.

177

Il dit qu'il se sait capable de jouer presque tout ce qu'il entend à la télévision; qu'on lui en donne seulement la chance.

FIN DE LA BOBINE UN.

Bobine 2.

(Aucune information d'intérêt)

Bobine 3.

F.A. dit qu'il faudrait qu'un chanteur vraiment bon, comme Perry Como par exemple, interprète la chanson qu'il joue présentement et qu'il a composée lui-même; il pourrait en faire un succès. F.A. raconte alors qu'en l'entendant un jour jouer cet air quelques années auparavant, A.J. Piron lui avait dit qu'il n'avait jamais rien entendu d'aussi beau; Piron lui avait dit qu'il transcrirait la musique et le rendrait célèbre. La chanson s'intitule « Tous les gars doivent m'aimer, un point c'est tout ». Johnny St-Cyr a écrit les paroles et Piron a transcrit la musique. Tout le monde dans le « District » trouvait que c'était une belle chanson. C'est le blues le plus extraordinaire que vous ayez jamais entendu. C'est tellement triste. C'est l'histoire d'un gars qui amène sa petite amie danser. La fille commence à flirter avec un autre homme. Au lieu de se battre, il la ramène à la maison et lui chante cette chanson. (F.A. joue et chante). Les paroles sont pleines de nostalgie, il lui dit par exemple qu'il regrette d'avoir fait sa connaissance, et il finit par lui dire qu'il va l'amener dans la forêt et qu'il va l'abattre. Il la tue mais il l'aime encore et il enjoint l'entrepreneur des pompes funèbres de prendre bien soin de sa dulcinée.

FIN DE LA BOBINE TROIS.

Bobine 4.

Interrogé à propos des bons trompettistes, F.A. répond que Buddy Bolden était celui qui jouait le plus fort. Freddy Keppard était un maître, ainsi que Manuel Perez, mais le plus grand maître de tous était James McNeil, qui avait étudié à l'université. Bolden par contre jouait une « bonne vieille musique de tous les jours ». F.A. dit qu'il se rappelle de « Funky Butt » (qu'on appelait aussi « le Blues de Buddy Bolden »). F.A. ne se souvient pas d'August Russell. Il dit que Johnny Delpit était un bon violoniste. Selon lui, le meilleur guitariste qu'il ait jamais entendu s'appelait Frank DeLandry (ou D. Landry ou Delandro?). Il prétend que toutes les guitares ont été enterrées avec DeLandry quand celui-ci est mort.

FIN DE LA BOBINE QUATRE.

T. Jones

« Le train dans lequel il était — pardon, je recommence. Les cent premiers milles du trajet furent franchis en train. Comme personne ne le connaissait, il n'y eut aucun problème. Les traces de l'opération chirurgicale qu'il avait subie à la gorge, en taule, étaient couvertes d'un pansement. Le visage impassible, il regardait droit devant lui — c'est ce qu'ils font tous, comme s'ils voulaient se montrer capables de se contrôler. Habit noir, chemise ouverte. Et toute la journée le fleuve à côté de nous, le Mississippi, comme un ami qui l'aurait accompagné, comme un public qui aurait suivi Huck Finn des yeux sur son train pour l'enfer. Oh, vous savez, je lis moi aussi. Je comprends l'astuce. Je sais qu'il était important, mais c'était aussi un malade et un fou...

« À Bâton Rouge le pansement était tout imbibé de sang, même s'il avait à peine bougé. Je lui ai donné un linge pour couvrir ça. Le voyage s'est bien passé. Aucun problème. L'opération qu'il avait subie la veille devait l'avoir fatigué. À partir de Bâton Rouge, nous avons pris la charrette et nous sommes passés par Sunshine, Vachery et Slaughter. 48 milles. Encore là, il était très calme. Au nord de Slaughter, McMurray et moi, on voulait se baigner. Il faisait chaud. Nous nous sommes arrêtés et nous avons trouvé une petite rivière. Nous l'avons fait descendre de la charrette et nous l'avons emmené au bord de l'eau à cent verges de là. Il est resté sur la rive. Il nous a regardés nous baigner chacun notre tour. Cela se passait le 5 juin, il a donc été admis plus tard ce jour-là. Nous ne l'avons jamais revu par la suite. Nous l'avons placé sur la chaise dans le bureau du directeur, nous avons fait signer nos papiers et nous le leur avons laissé. »

Ils étaient passés par le pays qu'Audubon avait illustré. À 20 milles des marais verts où il avait l'habitude d'attendre les oiseaux qui venaient se poser et faire ployer la branche sous ses yeux. M. Audubon s'installait avec son aide, qui l'accompagnait souvent, et il dessinait jusqu'à l'heure du déjeuner. Ils consommaient leur repas autour d'une manne; ils débouchaient une bouteille de vin, le plus silencieusement possible, pour ne pas effrayer les animaux sauvages.

★

Je reste avec cette chambre. Avec les murs gris qui finissent en coin sombres. Et une fenêtre avec des dents. Je reste si immobile que j'entends le froissement des poils sous ma chemise. Je me détourne de la fenêtre quand il y passe des nuages ou autre chose. Trente et un ans. Les prix, ça n'existe pas.

Sources

Le monologue de Dude Botley est tiré de *Jazz Masters of New Orleans*, de Martin Williams, et est reproduit ici avec la permission de MacMillan Publishing Company.

L'image sonagraphique des dauphins et la note explicative proviennent du livre *Mind in the Waters*, de Joan MacIntyre, publié par Charles Scribner's Sons. Copyright © 1974 Project Jonah.

Les interviews de Louis Jones, John Joseph et Bella Cornish ainsi que les résumés des enregistrements de Frank Amacker sont cités avec la permission de la William Ransom Hogan Jazz Archives, de la bibliothèque de l'Université de Tulane.

Lionel Gremillion a eu l'amabilité de me permettre de citer des extraits de son historique, « A Brief History of East Louisiana State Hospital ».

La photographie de Bolden et de ses musiciens appartenait à Willy Cornish, elle fait maintenant partie des Archives Ramsey et elle est reproduite avec la permission de Frederic Ramsey Junior.

Remerciements

De nombreux faits historiques proviennent de l'article « New Orleans Music », par William Russell et Stephen Smith, *in Jazzmen*, édité par Frederic Ramsey jnr et Charles Smith (Harcourt Brace, 1939). Ainsi que du livre de Martin Williams, *Jazz Masters of New Orleans* (Macmillan, 1967).

Le livre *Storyville, New Orleans* (University of Alabama Press), de Al Rose, m'a également fourni plusieurs données sociales et historiques.

Les photographies d'E.J. Bellocq dans *Storyville Portraits* (Museum of Modern Art), de John Szarkowski, m'ont inspiré par leur ambiance et leur ton. Bellocq et Bolden ont été réunis par des aimants à la fois personnels et fictifs.

Je voudrais remercier tout le personnel des Archives du jazz de Tulane, et tout particulièrement Monsieur Richard Allen pour son aide généreuse lors de mon séjour dans cette ville. Le résumé des bobines d'enregistrement est le travail de Paul R. Crawford.

Je voudrais aussi remercier le directeur de l'East Louisiana State Hospital, le docteur Lionel Gremillion, qui m'a grandement aidé en mettant certains dossiers à ma disposition ainsi que son historique de l'hôpital.

Certains paysages ont également joué un rôle important pour moi: le cimetière Holtz, la rue First, la route de Bâton Rouge à Jackson.

Autre document d'intérêt. Il existe un rarissime microsillon intitulé: « This is Bunk Johnson Talking... », publié sous étiquette William Russell's American Music et sur lequel on peut entendre Bunk Johnson siffler à la façon dont il se souvient que Bolden jouait.

J'ai utilisé des noms et des personnages réels ainsi que des événements historiques, mais je me suis également servi d'éléments plus personnels inspirés par des amis et des pères. Certaines dates ont été modifiées, certains personnages ont été réunis et certains faits ont été amplifiés ou polis afin de les rendre conformes à la véracité de la fiction.

M.O.

À Quintin et Griffin. À Stephen, Skyler, Tory et North.
Et à la mémoire de John Thompson.

Note du traducteur

Merci à mon collègue Michel Buttiens pour sa relecture attentive et judicieuse de cette traduction. Mes remerciements au Conseil des Arts du Canada pour l'aide financière accordée.

Merci également à Joao Antonio, Inacio et José qui m'ont fourni un cadre de rêve pour faire ce travail.

R.P.